D1849419

LIT. KRIMI

Von Stanley Ellin
ist außerdem im Goldmann Verlag lieferbar:

König im 9. Haus. 4811

STANLEY ELLIN

# Jack the Ripper und van Gogh

STAR LIGHT, STAR BRIGHT

Kriminalroman

Deutsche
Erstveröffentlichung

Wilhelm Goldmann Verlag

Aus dem Amerikanischen übertragen von
Tony Westermayr

Herausgegeben von Friedrich A. Hofschuster

Made in Germany · 11/80 · 1. Auflage · 118
© der Originalausgabe 1979 by Stanley Ellin
© der deutschsprachigen Ausgabe 1980 by Wilhelm Goldmann Verlag, München
Umschlagentwurf: Atelier Adolf & Angelika Bachmann, München
Umschlagfoto: Richard Canntown, Stuttgart
Satz: IBV Lichtsatz KG, Berlin
Druck: Mohndruck Graphische Betriebe GmbH, Gütersloh
Krimi 5212
Lektorat: Helmut Putz/Peter Wilfert · Herstellung: Peter Papenbrok
ISBN 3-442-05212-2

## Die Hauptpersonen

| | |
|---|---|
| John Milano | Privatdetektiv in New York; aus Florida erreicht ihn ein Auftrag, gegen dessen Übernahme er sich aus ganz privaten Gründen mit Händen und Füßen sträubt |
| Andrew Quist | an den Rollstuhl gefesselter Milliardär, der eine der schönsten Frauen der Welt mit allen Mitteln an sich zu binden trachtet |
| Sharon Bauer | Superstar am Filmhimmel; zu Beginn ihrer Laufbahn hat sie vielen Männern ihre Gunst geschenkt, bis Quist sie zuletzt in einen Käfig aus Gold sperrte |
| Michael Calderon | alternder Kollege Sharons, der immer noch auf Schürzenjagd ist, aber kein Herz mehr brechen kann |
| Kalos Daskalos | ein Guru; das Geschäft mit der Religion ist sein Metier, wobei freilich seine Erfolge abzubröckeln beginnen |
| Virgilio Araujo | Exilkubaner; hat sich als Leibwächter verdingt und sieht sich als Organisator des Entscheidungsschlages gegen Fidel Castro |
| Maggie Riley | munteres, sehr intelligentes Mädchen, das nicht nur mit dem Verstand, sondern auch mit Figur, Beinen und Sommersprossen auf die Männer zu wirken weiß |

Der Roman spielt in Miami, Florida.

*Für Sue, in Liebe*

*Sternlein hell, Sternlein grell,*
*erster Stern, der heut zur Stell'.*
*Ich wünsche mir, ich wünsch' mir streng,*
*daß eintrifft, was ich heute denk'.*

Nicht melancholischer Montag, wie sich herausstellte. Tieftrauriger Montag.

Zum Anfang gab es das notwendige Treffen mit einem außerordentlich begüterten und schäbigen Hehler namens Hennig, und an jenem Morgen um halb sieben kamen wir, während ein eiskalter Januarwind durch die dunkle Leere von Lower Manhattan pfiff, Ecke Broad und Wall endlich zusammen. Wir waren uns nicht fremd. Ich stieg in seinen glänzenden, aus diesem Jahr stammenden Continental, und taute erst einmal eine Minute lang auf. Als ich meine Finger öffnen konnte, gab ich ihm seine fünfzehntausend in Hundertdollarscheinen, wie verlangt, und er zählte sie mit der Behendigkeit eines Rennplatz-Kassierers.

»Die Steine«, sagte ich.

»Noch nicht, Milano. Ich höre, daß die Versicherungsgesellschaft für das Ding dreißigtausend ausgespuckt hat.«

»Und?«

»Und ich werde rasiert. Fünfzehn für Ihren Laden und fünfzehn für mich ist nicht das, wie ich es sehe.« Er verstaute die Geldbündel säuberlich in der Tiefe einer Aktentasche. »So, wie ich es sehe, stehen mir noch zehn zu.«

Ich sagte vorwurfsvoll: »Mitten im Spiel die Regeln ändern, Hennig? Wissen Sie, wie sich das auf Ihre Glaubwürdigkeit auswirken kann?«

»Das kluge Geschwätz können Sie sich sparen, Milano.« Seine Hand glitt mit einer Schußwaffe aus der Aktentasche, einem kurzläufigen Kleinkaliber. Er hielt sie ganz tief und zielte eher zittrig in die allgemeine Richtung meiner Jockey-Unterhose. »Und plötzliche Bewegungen auch.«

Ein Hehler, der solche Gewaltmethoden gebrauchte? Das ging so gegen die Natur, als hätte sich eine Kellerschabe plötzlich aufgebäumt und ein Gebiß gebleckt.

»Reden Sie vernünftig«, sagte ich. »Sie wissen, daß ich keine zusätzlichen zehntausend mit herumschleppe.«

»Nein?« Er spielte den Fassungslosen. »Dann erledigen Sie das, sobald Ihre Bank aufmacht. Ich sage Ihnen, wo wir das Geschäft abschließen.« Es klang verdrossen. »Und jetzt marsch!«

Eine Schabe mit Zähnen bleibt eine Schabe, versuchte ich mir einzureden. Ich ließ meine Hand wuchtig auf sein Handgelenk hinabsausen, und die Waffe fiel unter das Bremspedal. Als wir hinterhertauchten, stießen wir mit den Köpfen zusammen, aber ich kam ihm zuvor. Ich preßte ihm die Mündung an den Hals.

»Wir schließen das Geschäft jetzt ab, Mr. Hennig«, riet ich ihm, und Mr. Hennig zog mit ganz vorsichtigen Bewegungen den Plastikbeutel unter dem Hemd hervor. Die Halskette bestand aus Brillanten und Smaragden, versichert für hundertzwanzigtausend und selbst durch den Beutel hübsch anzusehen.

Auf dem Rückweg zu meinem Wagen, der um die Ecke abgestellt war, warf ich die Waffe in einen passenden Abfluß. Als sie klatschend aufschlug, wurde mir klar, daß ich schweißdurchnäßt war, arktischer Wind hin, arktischer Wind her.

Um sieben Uhr, genau nach Plan, übergab ich die Kette Elphinstone, dem Mann von der Versicherung, in der Suite, die er zu diesem Zweck im ›Plaza‹ gemietet hatte. Äußerlich ein distinguierter Typ mit schlohweißen Haaren, innerlich ein zweiter Hennig, legte er die Edelsteine auf ein schwarzes Samttuch und prüfte, die Lupe im Auge, jeden Stein einzeln.

»Alles da und in Ordnung«, sagte er schließlich. Er betrachtete mich lächelnd von oben bis unten, offenkundig auf etwas Bedeutsames zusteuernd. »Ich bin sicher, Milano, Sie sind sich darüber im klaren, daß Sie in den vergangenen zwei Jahren zugunsten meiner Gesellschaft Außerordentliches geleistet haben.«

»Ja?«

»Außergewöhnliches.« Er schraubte die Herablassung um eine Nummer höher. »Das führt mich zu der Überlegung, was Sie davon halten würden, aus den Diensten Ihrer Firma auszuscheiden und in die der unsrigen zu treten. Verbunden mit einer kräftigen Erhöhung Ihres Gehalts, versteht sich.«

Ich sagte: »Nett von Ihnen, aber ich stehe nicht in den Diensten der Firma. Ich bin zufällig gleichberechtigter Teilhaber von

Watrous & Co. Die Co., das bin ich.«

»Oh?« Er wirkte verwirrt. »Davon hat Mr. Watrous nie etwas erwähnt.« Er fiel sofort in seine alte Art zurück. »So, so. In diesem Falle stelle ich mir vor, daß Sie auch so recht gut dastehen.«

»Recht gut. Aber selbst wenn nicht, würde ich nicht bei Ihnen eintreten, Mr. Elphinstone. Sehen Sie, der Mann, mit dem ich eben zu tun hatte, wußte genau, was Sie bezahlen, um das Kettchen wiederzubekommen. Einschließlich des Honorars für meine Firma als Vermittlerin. Und das heißt, daß Sie außerordentlich sorglos darin sind, wie laut sie mit Ihren Kumpels in der Kneipe Firmeninterna austauschen.«

Er tippte mir mit dem Finger auf die Brust.

»Jetzt hören Sie mal, Milano...«

Ich wischte den Finger weg.

»Vorsicht, Mr. Elphinstone, ich bin im Augenblick sehr empfindlich, wenn jemand etwas auf mich richtet, und sei es auch nur ein Finger. Und wenn Sie das nächste Mal mit einem dieser angeblich vertraulichen Aufträge an mich herantreten, melde ich mich oder auch nicht, je nach meiner augenblicklichen Stimmung.«

Um halb zehn, was Zeit für Bad, Frühstück und ein zu kurzes Nickerchen in meiner Wohnung ließ, saß ich in der Firma an meinem Schreibtisch. Ich war durch den Privateingang hereingekommen, aber Shirley Glass, Büroleiterin und Gluckhenne für Watrous & Co. seit der Firmengründung vor zehn Jahren, hatte ihre Antenne auf die winzigste Vibration innerhalb dieser Wände eingestellt. Sie kam eine Minute später herein, legte die eingelaufenen Ermittlungsberichte auf meinen Schreibtisch und öffnete die Vorhänge. Sie legte damit die vom Boden bis zur Decke reichenden Fenster und einen Himmel frei, der, zumindest von der East 60th Street nordwärts, Schnee ankündigte.

»Was ist mit Hennig?« fragte sie.

»Alles erledigt. Anrufe?«

»Nur zwei, die zählen. Der eine von Ihrer Schwester Angie. Offenbar hätten Sie gestern in Brooklyn Ihre Mama und sie besuchen sollen, sind aber nicht aufgetaucht.«

»Weil Hennig mich den ganzen Tag am heißen Draht festhielt, bis er sich überlegt hatte, wann wir uns treffen würden. Wir sind erst vor drei Stunden zusammengekommen.«

»Das dachte ich mir. Würden Sie Angie also, bitte, sagen, sie soll aufhören, bei mir die Staranwältin zu spielen? Und mich ständig als Zeugin für ihren wertlosen, achtunddreißigjährigen kleinen Bruder zu verhören?«

»Sie ist eine Staranwältin«, sagte ich betont. »Fragen Sie den Rechtshilfeverein. Und der zweite Anruf?«

»Recht interessant.« Shirley warf mir einen Seitenblick zu, um sich zu vergewissern, daß ich aufpaßte. »Aus Miami. Von einer Mrs. Quist.«

»Sharon Bauer?« sagte ich, als ich mich dazu überwinden konnte.

»Sharon Bauer Quist«, sagte Shirley. »Vergessen Sie das ›Quist‹ nicht.«

»Was wollte sie?«

»Was wollte sie das letzte Mal? Ihre professionellen Dienste, sagte sie. Unten in Quist-Land scheint sich ein Mord anzukündigen. Sie sollen sofort hinkommen und verhindern, daß er stattfindet. Sagte sie.«

»Aber Sie glauben nicht, daß sich ein Mord ankündigt.«

»Ach, Himmel noch mal, wenn dem so wäre, gibt es Detekteien in Miami, an die sie sich wenden kann. Und falls Sie es vergessen haben sollten, Sie hat jetzt zufällig einen Milliardär zum Ehemann, der das ganze FBI für sie mieten könnte.« Shirley riß eine Zigarette aus der Packung auf meinem Schreibtisch. »Das ist mindestens drei Jahre her, nicht wahr, Johnny? Sie und sie, meine ich.«

»Ungefähr.«

»Genug Zeit, um Ihnen zu zeigen, wie es wirklich war, richtig? Die heißeste Aufführung von ›Romeo und Julia‹, die es je gegeben hat, nur läßt diese Julia ihren Romeo plötzlich sitzen. Und die folgenden zwei Monate ist er seelisch ein Krüppel.«

»Nicht übertreiben«, sagte ich. »Es waren keine zwei Monate.«

»Nach meinem Kalender zwei Monate, bis Sie aufgehört haben, hier jeden Morgen fast im Vollrausch hereinzukriechen. Als Sie sich zusammenrissen, dachte ich, Sie hätten sie endgültig überwunden. Als Sie ihre Briefe zurückschickten, ohne sie zu lesen, war ich überzeugt davon. Wollen Sie sagen, ich hätte mich da völlig getäuscht?«

»Nein.«

»Dann beweisen Sie es. Sagen Sie mir rundheraus, daß ich sie für dauernd warten lassen soll, wenn sie wieder anruft.«

»Betrachten Sie's als gesagt«, gab ich zurück. »Und jetzt muß ich arbeiten.«

Da saß ich also und ackerte einen Stapel Berichte durch, die für mich alle nicht viel Sinn ergaben, weil ich ein Proustsches Erlebnis in umgekehrter Form durchmachte. Bei meinem alten Genossen Marcel Proust löste ein bestimmter Duft in der Nase lebhafte Erinnerungen an die Vergangenheit aus. Nun erinnerte ich mich lebhaft – zu lebhaft – an die Vergangenheit, und die Erinnerungen ließen mir einen bestimmten Duft in die Nase steigen. Das ganze Zimmer war voll davon.

Sharon Bauer Quist. Sharon Bauer. Ihr Parfum – das einzige, das sie benutzte – war Fleurs de Rocaille, und ihre Art, es zu benutzten, bestand einfach darin, die Unterwäsche damit zu durchtränken. Nichts sonst, nirgends sonst – nur ein unbekümmertes Besprühen dieser Winzigkeit von Büstenhalter und Höschen damit, ob es einem genehm war oder nicht.

Ich sog den Duft jetzt mit jedem Atemzug ein. Ich haßte ihn.

Einige Minuten nach elf Uhr war der Bann gebrochen, als mein Partner ins Zimmer schlenderte, hochaufgerichtet und mit funkelnden Augen wie ein siegreicher Kampfhahn. Nah an den Siebzig, reiche Klienten, die sich die Klinke in die Hand gaben, die dicke Pension eines Polizeileutnants als Bonus, war er ein gemachter Mann, war Willie Watrous, obwohl er sich nie ganz dazu überwinden konnte, es wirklich zu genießen. Der Zwang, Geld anzuhäufen, machte ihn bissig.

Ein bedächtiger Mann, ließ er sich im Sessel vor dem Schreibtisch nieder, zündete den Stummel seiner 15-Cent-Zigarre zwischen den Zähnen neu an, wischte Asche vom Revers einer Tweedjacke aus Kunstfaser.

»Shirl sagt mir, daß mit Hennig alles glattging«, sagte er.

»So ist es. Nachdem ich ihm eine Kanone weggenommen habe.«

Willie wirkte ein wenig überrascht.

»Er hat eine Waffe gegen dich gezogen? Warum macht er denn etwas so Dummes?«

Ich erklärte es ihm, dann sagte ich: »Weil du schon hier bist, Willie, ich gebe die Berichte da an dich ab. Ich kann mich nicht darauf konzentrieren, weil ich dauernd an das Schießeisen denken muß. Es ist besser, ich nehme den Nachmittag einfach frei.«

Statt daraufhin langsam vor sich hinzubrodeln, wie es seine Art ist, nickte er mitfühlend.

»So kann es einem gehen, wenn jemand mit einem Knaller herumfuchtelt, Johnny Boy. Aber warum nur heute nachmittag? Wie wär's mit ein paar Tagen Sonnenbräune im schönen Tropen-Sonnenschein? Hin und her Erster Klasse, alles bezahlt.«

Der übliche Sarkasmus, versteht sich. Mir ging ein Licht auf.

»Hast du vielleicht gerade zufällig einen Anruf aus Miami bekommen, Willie? Von einer alten Freundin von mir?«

»Nicht direkt.« Er schob einen Briefumschlag über den Tisch. »Sieh dir das an.«

Ich sah es mir an. Im Umschlag steckte ein Barscheck über zwanzigtausend Dollar, ausgestellt von der Central Manhattan Trust Company. Ich schaute genauer hin, um mich zu vergewissern. Der Scheck belief sich immer noch auf zwanzigtausend Dollar.

Willie sagte: »Ein Bankbote ist vor einer halben Stunde mit dem Papierchen aufgetaucht. Dazu mit einer Telefonnummer in Miami, die angerufen werden sollte. Ich rief also an. Es war Mr. Andrew Quist, der große Mann persönlich. Seine Frau scheint vergeblich versucht zu haben, dich zu erreichen. Deshalb möchte er sich jetzt auf mich verlassen, daß ich die Ware liefere.«

»Und die Ware bin ich.«

»Die bist du. Es gibt Ärger da unten, sagte Quist. Briefe mit

Morddrohungen. Du – keiner außer dem Meister selbst – bist also eingeladen, auf ein paar Tage hinzufahren und die Sache in Ordnung zu bringen. Nur zwei Tage, und aus.«

»Für zehntausend am Tag? Und warum genau zwei Tage?«

»Weil die erwähnten Briefe die Zeit festlegen, in der die Tat stattfinden soll. Diesen Mittwoch um Mitternacht. Sorg du nur dafür, daß keiner umgebracht wird, Johnny Boy, und Donnerstag mittag bist du wieder in deinem kleinen Nest Central Park South.«

»Und wer soll das Opfer in diesem erregenden Drama sein? Mr. Quist oder Mrs. Quist?«

»Weder noch. Er hat seinen Besitz da unten – ›Hesperiden‹ nennt sich das – mit einem Haus voller Gäste, und einer davon trägt das bewußte Mal. Jedenfalls will er alles erklären, wenn du dort bist. Also heute. Um zwei Uhr steht eine Limousine vor deiner Wohnung, dann sein Privatjet, und am anderen Ende sein Wagen. Erster Klasse hin und zurück.«

»Reisen Erster Klasse ist eine Sache, zwanzigtausend Dollar in bar für zwei Tage sind eine andere«, sagte ich. »Das ist einfach viel zuviel, Willie. Es ist Panikgeld. Ich kann mir nicht vorstellen, daß ein Mann wie Quist wegen einer so unsinnigen Sache, wie er sie schildert, in Panik gerät.«

»Sagst *du*. Aber nach allem, was *er* sagt, ist jedenfalls seine Frau in einer gehörigen Panik. Und ich habe den Eindruck gewonnen, daß alles, was die Dame will, sie auch bekommt.«

»Ist das sein Bild von ihr oder das deine?«

Willie schnaubte durch die Nase.

»Ach, hör auf, Johnny Boy. Warum, glaubst du, hat sie dich abgehängt, um am Ende General Winter zu heiraten? Einen sechzigjährigen Rollstuhlfahrer wie den?«

Eine ehrliche, wenn auch schmerzhafte Frage. Nach drei Jahren verdiente sie eine ehrliche Antwort.

»Warum?« sagte ich. »Weil ihr Astrologe es ihr geraten hat.«

Willies Oberlippe begann sich zu kräuseln. Dann sah er mein Gesicht und glättete sie.

»Ihr Astrologe?«

»Ein halbseidener Bursche namens Kondracki, der damit anfing, einem Haufen Leute von Bühne und Film wie ihr das Horoskop zu lesen. Unterwegs baute er seine Lieblingsopfer in einer Art mystischem Kult auf, wo er wirklich das Sagen hatte. Sei dir über eines im klaren, Willie: Sie hat nicht einfach Lebewohl gewinkt und ist an diesem Tag von mir fortmarschiert. Sie weinte sich blind, erbrach ihr Frühstück und erklärte mir dann, ihr Meister hätte ihr den Marschbefehl erteilt. Also marschierte sie.«

»Mensch«, sagte Willie, »davon hast du mir nie etwas gesagt.«

»Das mache ich jetzt, damit du begreifst, was für ein verrücktes Geschöpf sie ist. Und warum ich so das Gefühl hatte, sie hätte mich nie ganz abgeschrieben.« Ich wedelte ihm mit dem Scheck vor der Nase herum. »Und in eben diesem Augenblick habe ich das Gefühl besonders stark.«

»Ah, jetzt redest du selber wie ein Bekloppter, Johnny.«

»So wirkt sie auf die Leute.«

»Nicht auf mich.« Willie schüttelte den Kopf. »Du magst ja bereit sein, die zwanzig Riesen abzuschreiben, aber die Hälfte davon gehört zufällig mir, Partner. Du willst der Wohlfahrt spenden? Fein. Aber dann bitte aus deiner eigenen Tasche.«

»Hier geht es nicht um Wohlfahrt, Willie.«

»O doch.« Sein Gesicht rötete sich. »Das ist dasselbe wie bei den lausigen Schuldscheinen, bei denen du so groß bist. Von unserem Gehaltskonto werden ein Dutzend Ermittler fett, und zwei oder drei davon machen ständig etwas Nutzloses. Du willst, daß ich auch in Zukunft bei diesem menschenfreundlichen Getue mitmache, das nur rote Zahlen bringt? Na gut, mach einen kurzen Ausflug nach Miami, und ich sage, wir sind quitt.«

Ich hatte darauf gewartet, daß er früher oder später mit diesen ARF anfangen würde. Armenrechts-Fälle – Strafrechts-Untersuchungsfälle von Verdächtigen, die über keinen roten Heller verfügten – von den Gerichten begierigen Ermittlungsfirmen für ein Höchsthonorar von dreihundert Dollar zugeworfen. Auf irgendeine Weise hatte meine Schwester Angie, auf mein zerlumptes Gewissen einwirkend, mich dazu gebracht, einen ununterbrochenen Strom ihrer Armenrechts-Fälle für Watrous & Co. zu übernehmen. Und jeder ARF-Klient bedeutete angesichts der erstklassigen Arbeit der Firma und der hohen Honorare einen deutlichen Verlust.

Mein Teilhaber nagte am Rest seiner Zigarre, während er verfolgte, wie ich die unbestreitbare Gerechtigkeit seines Ultimatums abwog. Dann sagte er explosiv: »Was soll das? Hast du wirklich Angst davor, mit dieser Frau wieder zusammenzutreffen? Selbst, wenn zwanzigtausend Dollar auf dem Spiel stehen?«

»Vielleicht.«

»Vielleicht. Heißt das, vielleicht hast du Angst, du könntest mit ihr wieder im Bett landen? Oder du könntest vielleicht in Versuchung geraten, sie ganz erbärmlich zu verprügeln?«

»Vielleicht beides«, sagte ich. »Nicht unbedingt in dieser Reihenfolge.«

»Kommt beides nicht in Frage, Freund. Der Scheck da kommt auf die Bank. Und du fliegst nach Miami. Und wenn du mit Mrs. Quist zusammen bist, kannst du die Fäuste in den Taschen behalten und dafür sorgen, daß der Reißverschluß an deiner Hosentür nicht aufgeht. So einfach ist das.«

»Für dich, Willie. Nicht für mich.«

»Nein? Dann zahl mir die Hälfte des Schecks aus. Und laß mich ein für allemal mit diesen ARF in Ruhe. Vereinfacht das die Sache?«

So war es.

Außerdem, woher sollte ich wissen, ob Mrs. Quist noch nach Fleurs de Rocaille süchtig war, wenn ich nicht noch einmal nah an sie herankam, und sei es mit den Fäusten in der Tasche und geschlossener Hosentür?

* * *

Auf dem Flughafen International in Miami führte mich der Pilot der ›Quistco II‹ persönlich, während der Steward der Maschine mit meinem Gepäck hinterherlief, aus dem Abfertigungsgebäude zu einem Mercedes, der mitten auf einer Parkverbotsfläche stand, und stellte mich Quists Abgesandtem vor. Das war ein dunkelhäutiger, grauhaariger Lateinamerikaner, Virgilio Araujo, niedrig gebaut und breit wie einer von diesen Football-Profi-Ballschleppern, bei denen man sich immer auf Geländegewinn verlassen kann, wenn er unabdingbar ist.

Araujo ließ mich einsteigen, während der Chauffeur mein Gepäck verstaute. Als er sich zu mir setzte, sagte ich: »Sie sind Sicherheitsmann, ja?«

»Wie kommen Sie denn darauf?« Das umgangssprachliche Englisch war angenehm spanisch gefärbt.

»Schulterhalfter«, sagte ich. »Paßt gut, aber man sieht es.«

Er lächelte breit.

»Sicherheit, richtig. Sicherheitschef bei Mr. Quist für diese Gegend.«

»Gegend?«

»Auf dem Besitz selbst. Die Hesperiden, meine ich. Das Penthaus in der Stadt. Die Quist-Sammlung. Ein paar Firmengebäude. Noch unbebauter Grund im Süden.«

Ich meinte, das klinge nach allerhand Arbeit, und er bestätigte, das stimme, bei weit über hundert Leuten unter seiner Aufsicht. Was die Arbeit ein wenig erleichtere, sei, daß er nur erstklassige Leute einstelle, keine Landstreicher.

»Und Sie haben sicher enge Beziehungen zur örtlichen Polizei?« sagte ich.

»Sehr enge.«

»Dann bleibt nur noch eine Frage: Angesichts der Sicherheit, die Sie bieten können, was mache ich hier?«

»Das hat man Ihnen nicht gesagt?«

»Man hat mir etwas von Drohbriefen gesagt. Aber für jemanden wie Ihren Chef sind Drohbriefe Alltag. Ich bin sicher, es gibt Verfahren, damit umzugehen, die Sie entwickelt haben müssen.«

»Natürlich. Aber das sind nicht die üblichen Spinner-Briefe.«

»Und ein dummer Streich?«

»Daran glaube ich nicht.«

»Lassen Sie sich etwas erklären«, sagte ich, und der belustigte

Ausdruck auf Araujos Gesicht brachte mich sofort zum Verstummen.

»Lassen *Sie* sich etwas erklären, Mr. Milano: Der erste Brief tauchte am Montag vor einer Woche auf. Als der zweite am Donnerstag erschien und Mrs. Quist vorschlug, Ihre Dienste in Anspruch zu nehmen, habe ich Sie und Ihre Firma überprüfen lassen.«

»Offensichtlich haben wir die Probe bestanden.«

»Mit Auszeichnung. Aber das bedeutet, daß ich viel über Sie weiß, während Sie nichts über mich wissen. Zum einen dies, daß ich lange Erfahrung auf diesem Gebiet habe.«

»Privatagentur?«

»Öffentlicher Dienst, vor meiner Anstellung durch Mr. Quist. In Cuba war ich Sicherheitsoffizier beim Staat.«

»Interessant. In Fidels oder Batistas Staat?«

Araujo zuckte mit den Schultern.

»Wenn Sie auf meine politischen Ansichten neugierig sind, erläutere ich sie Ihnen gerne. Batista war natürlich durch und durch korrupt, aber wenn man ihm einen Anteil seiner Einnahmen abtrat, konnte man tun und lassen, was man wollte. Fidel? Ein Fanatiker, der wirklich glaubt, jeder Cubaner müßte zu seinem eigenen Besten sein persönlicher Sklave werden.« Er begann sich für sein Thema zu erwärmen. »Aber wenn wir ihn ersetzen –«

»Wir?« sagte ich im Spaß.

Er nahm den Witz gar nicht wahr. Er sagte: »Glauben Sie mir, es gibt hier in den Staaten genug von uns, die noch den Schwung besitzen, wieder ein freies Cuba zu schaffen. Und Hunderttausende auf Cuba warten nur auf die Gelegenheit, sich uns anzuschließen.«

»Nicht in dieser Woche, hoffe ich. Ich zähle eigentlich für die beiden nächsten Tage auf Ihre volle Unterstützung.«

Das schien ihn ein wenig aus den Wolken herunterzuholen. Er sagte gutmütig: »Da gibt es kein Problem, verlassen Sie sich darauf. Aber in allem Ernst, sobald die Befreiung ausreichend finanziert ist, wer weiß, wann die Axt niedersausen wird? Eine Frage des Geldes, nicht? Und solche Fragen haben es an sich, ihre eigenen Antworten zu liefern, nicht wahr?«

»Nicht bei der Sache mit diesen Drohbriefen«, sagte ich, um ihn ganz auf die Erde herunterzuholen. »Zwei Stück.«

»Drei. Die klare Entscheidung, Sie anzusprechen, wurde getroffen, nachdem der dritte kam.«

»Mrs. Quists Entscheidung?«

»Mit Mr. Quists Zustimmung. Nachdem ich Sie überprüft hatte, hielt ich das für einen vernünftigen Schritt.«

»Und was ist mit unseren Freunden und Helfern, der hiesigen Polizei? Auch eingeladen zur Party?«

Araujo schüttelte den Kopf.

»Nicht, wenn wir verhindern wollen, daß die Unannehmlichkeit an die Presse gelangt. Damit scheidet es absolut aus.« Er machte eine weit ausholende Handbewegung, die Handfläche nach unten gedreht, um zu zeigen, wie absolut.

»Mr. Quists Politik?«

»Ja. Für mich manchmal störend, aber notwendig. Ich habe erlebt, was Leute von der Presse und vom Fernsehen aus allen persönlichen Meldungen über ihn, von denen sie erfahren, machen. Verstehen Sie mich recht, Mr. Milano. Er ist überaus gut im Gleichgewicht – hart, aber gerecht, sagt man nicht so? –, aber natürlich reagiert er enorm empfindlich auf die Art, wie Journalisten mit seinem Privatleben umgehen.«

»Natürlich«, sagte ich. »Ich kann mich an die Zeitungsberichte über seine Heirat erinnern.«

Araujo erstarrte kurz. Er warf mir einen schnellen, harten Blick zu, und ich zeigte ihm unverhüllt mein mitfühlendes Gesicht. Er taute auf.

»Seine Heirat, ja. Aber was die Frage angeht, warum ich diese Morddrohungen nicht für einen Witz halte – es hat Vorfälle gegeben, die mein Urteil stützen.«

»Zum Beispiel?«

»Zum einen ist ein Hund abgeschlachtet worden. Mr. Quists Lieblingstier. Man hat ihm die Kehle durchgeschnitten. Das war am Donnerstag nach dem Eintreffen des zweiten Briefes. Am Freitag fand man ein Tranchiermesser aus der Küche, die Klinge blutverkrustet – ich bin sicher, daß es das Messer war, mit dem man den Hund umgebracht hatte – in die Tür des laut der Briefe vorgesehenen Opfers gerammt. Deutet dergleichen auf einen Witz hin?«

Ich meinte, na ja, ich würde mich da nicht festlegen wollen, aber es rieche ganz nach einer internen Angelegenheit. Ob es möglich sei, daß unter dem Personal auf dem Besitz ein Psychopath herumlaufe? Ob das Personal Kopf für Kopf durchgeprüft worden sei?

Araujo nickte nachdrücklich.

»Mehr noch. Am Freitagnachmittag habe ich dem gesamten Personal – Bediensteten und Sicherheit – eine Woche bezahlten Urlaub gegeben. Mit Mr. Quists Zustimmung, versteht sich. Bis Samstag mittag sind sie alle durch Leute ersetzt worden, auf die ich mein Leben setzen würde. Dann kam gestern, trotz der Vorsichtsmaßnahmen, die dritte Mitteilung.«

»Gestern? Am Sonntag? Dann also nicht mit der Post?«

»Die anderen auch nicht. Die tägliche Post wird am Pförtnerhaus abgeliefert und von dem Mann dort zum Haupthaus gebracht. Die beiden ersten Mitteilungen befanden sich unter den Briefen auf dem Foyertisch im Haupthaus, aber ungestempelt, offenkundig einfach dort hingelegt. Eine interne Sache? Keine Frage. Aber meine Liste der Verdächtigen hat das wenigstens auf die Hausgäste von gestern morgen reduziert.«

»Wie viele sind das?«

»Sieben sind anwesend. Da einer – ein Mr. Daskalos – als Opfer vorgesehen ist, bleiben uns sechs Verdächtige. Außerdem steht er noch in einer anderen Beziehung für sich. Er ist der einzige Gast, der nicht aus dem Filmgeschäft kommt.«

»Verstehe. Wir haben also sechs Gäste, die unter Verdacht stehen. Und ich soll mich unauffällig unter sie mischen und feststellen, ob ich die Bedrohung nicht identifizieren kann. Ist es so?«

»Ja. Und merken Sie sich eines: Sie können bei ihren Nachforschungen ganz direkt vorgehen.«

»Keine Einwände von den Kunden?«

»Filmleute«, sagte Araujo. Sein Tonfall machte klar, was er

von Filmleuten hielt. »Sie hoffen, daß Mr. Quist eine Produktion finanziert, die sie planen. Da sie wissen, daß er Mitarbeit von ihnen verlangt, werden sie zumindest so tun, als täten sie mit. Um es offen auszusprechen, Mr. Milano: Sie würden um ihres kostbaren Filmes willen Scheiße fressen.«

Der Mercedes rollte auf einer Autobahn östlich vom Flughafen davon. Dieser Teil von Miami – niedrige Gebäude im rosaroten Sonnenuntergang, Palmen – bot ein hübsches Bild im Sinne des Fremdenverkehrsamtes.

Araujo sagte: »Sie sind schon mal in Miami gewesen?« und ich antwortete, nein, ich hätte vor langer Zeit einmal einen Fall in Palm Beach erledigt, aber näher sei ich nicht herangekommen. Dann meinte ich: »Sechs Verdächtige. Verdient einer davon besondere Aufmerksamkeit?«

Er kratzte sich nachdenklich am Kinn.

»Nun, zwei von den Gästen sind Damen. Ich würde sagen, daß die Tötung des Hundes – ein großes und kräftiges Tier – die beiden eher ausschließt.«

»Und eine Partnerschaft? Einer der Herren tötet den Hund aus, sagen wir, Gefälligkeit für die Dame?«

Wieder warf Araujo mir den raschen, harten Blick zu.

»Daran habe ich nicht gedacht.«

Der Wagen fuhr in weitem Bogen auf eine ziemlich schmale Straße in Richtung Süden. Die subtropische Vegetation, üppig, aber dem Anschein nach wohlgepflegt, drängte hier auf beiden Seiten nah heran. Old Cutler Road, einem Straßenschild zufolge, das vorbeihuschte. Auf der anderen Straßenseite wurde aus der Vegetation eine lange, hohe Natursteinmauer, die endlos zu sein schien.

Araujo wies darauf.

»Die Hesperiden. Vor einigen Jahren hat eine Gruppe sehr reicher Herren sie als – wie würden Sie es nennen? – als einen Privatklub errichtet. Als das Unternehmen scheiterte, wurde es zum Verkauf angeboten. Mrs. Quist gefiel es, also kaufte Mr. Quist es für sie.«

Wir fuhren durch ein schmiedeeisernes Tor und hielten vor einem Wachhaus. Ein Wachtposten begrüßte Araujo respektvoll, dann nahm er den Schlüssel, den der Chauffeur ihm hinhielt, und öffnete den Kofferraumdeckel zu einer kurzen Besichtigung. Von meinem Platz aus hatte ich Ausblick auf wellige Rasenflächen, Blumenbeete, von Königspalmen eingesäumte Promenaden, und in der Ferne auf einen Komplex von Natursteingebäuden, die den Eindruck vermittelten, ein blaublütiges New England-College sei als Ganzes in dieses feuchte und sonnengrelle Klima versetzt worden.

»Na«, sagte Araujo, »was halten Sie davon?«

»Mr. Quist hat Mrs. Quist ganz gewiß ein hübsches Geschenk gemacht«, erwiderte ich.

* * *

Es hätte die Halle eines altmodischen Grandhotels sein können, ohne Empfangstheke. Ein verlassenes Hotel, keine Menschenseele zu sehen. Dann erschien ein geschmeidiger junger Mann, bekleidet mit dem, was hier die Hausuniform zu sein schien: weißes Hemd, schwarze Fliege, graue Cordweste mit scharlachroter Paspelierung und dazu passender Hose. Weste und Hose waren eng genug, um den unbezweifelbar sehr hübschen jungen Mann im besten Licht erscheinen zu lassen. Er lächelte Araujo gewinnend an, bedachte mich mit einem Nicken.

»Mr. Milano?«

»Wer, zum Teufel, glaubst du, daß er ist?« sagte Araujo. »Und erzähl mir nicht, du hättest draußen den Wagen nicht gehört.«

»Sicher«, sagte der junge Mann fröhlich. »Aber ich war bei Mrs. Quist, um mir sagen zu lassen, was mit Mr. Milano geschehen soll. Ich soll ihn in seinen Zimmern installieren.«

»Pablo«, sagte Araujo in gefährlichem Ton, »man installiert Leute nicht in ihren Zimmern; man zeigt ihnen ihr Appartement.« Zu mir sagte er entschuldigend: »Da das eigentliche Personal die Woche über fort ist, verstehen Sie, daß die Qualität des

Service –«

Ich sagte, ich sei sicher, das ginge bestens in Ordnung, und er meinte, das hoffe er auch, und wir würden uns später am Abend zusammensetzen. Ich fuhr mit Pablo und meinem Gepäck eine Etage mit dem Lift hinauf. Unterwegs sagte ich zu ihm: »Schon mal einen solchen Job gehabt?«

Er grinste mich an.

»Nee. Aber irgendwo muß man anfangen.«

»Das höre ich auch immer.« Der lange, breite, mit einem dikken Teppich ausgelegte Korridor im ersten Stockwerk zeigte nicht mehr Leben als das Erdgeschoß.

»Wo sind denn alle?«

»Das Personal?« sagte Pablo. »Überall. Küche, Speisezimmer –«

»Die Gäste?«

»Ach, die. Wahrscheinlich machen sie sich für die Betstunde unten am Strand fertig.«

»Betstunde?«

»Jeden Tag bei Sonnenauf- und -untergang am Bootshaus. Mr. Daskalos leitet sie.«

»Er ist Geistlicher?«

»Fragen Sie ihn lieber selbst«, meinte Pablo ausweichend.

Alle Türen im Korridor waren numeriert. Pablo blieb vor Nr. 28 stehen, drückte die Tür mit dem Fuß auf.

»Da ist es.«

Es war ein Salon, und sofort, als ich ihn betrat, bekam ich ein ganz starkes déjà vu-Gefühl. Dann begriff ich. Der Raum, groß und mit hoher Decke, hätte der im ›Plaza‹ sein können, in dem ich erst zwölf Stunden vorher mit Elphinstone, dem dressierten Fixer der Versicherungsgesellschaft, zu tun gehabt hatte. In einem Stil, den man Stromlinien-Barock hätte nennen können, gab es hier den gleichen Kristallüster, die gleichen schweren Vorhänge an den Fenstern, den gleichen gekachelten Kamin. Ein Unterschied: Das hier war offensichtlich ein gebrauchsfähiger Kamin, mit gestapeltem Kienholz und Scheiten.

Das Schlafzimmer war im selben Stil gehalten, bot aber unter anderem eine Hochglanz-Fernsehtruhe und auf dem Nachttisch ein Telefon. Pablo öffnete Türen, um den Blick auf Badezimmer, Ankleidezimmer und begehbaren Schrank zu ermöglichen.

»Das ist es«, sagte er. »Wenn Sie irgend etwas wollen, rufen Sie einfach an.« Er griff nach einem getippten Blatt Papier auf dem Nachttisch. »Da steht alles: Zimmerservice, Garage, egal was.« Er zeigte auf eine Mappe, die auf dem Schreibtisch lag. »Alles andere steht hier. Etwa die Gästeliste mit Zimmer- und Rufnummern.«

»Und die Nummern von Mr. und Mrs. Quist?«

»Privat. Aber wenn Sie ihre Sekretärin anrufen, werden Sie verbunden. Das ist Miss Riley.« Er griff nach dem Hörer. »Soll ich anrufen?«

»Lassen Sie nur. Wissen Sie, wo Mrs. Quist jetzt ist?«

»Sie macht sich wohl für die Betstunde fertig, schätze ich.«

»Na, was Sie auch schätzen mögen, finden Sie sie und sagen Sie ihr, daß Mr. Milano seit achtundvierzig Stunden auf den Beinen ist. Und wenn sie ihn zu Gesicht bekommen will, solange er noch wach ist, sollte sie das lieber gleich tun. Kapiert?«

»Ja, *Sir.*«

»Dann zischen Sie ab«, sagte ich, und er zischte.

Ich ging die dickleibige Mappe auf dem Schreibtisch durch. Eine Autokarte von Miami und Umgebung. Ein schön detaillierter Plan des Besitzes. Ein Zimmerplan des Gebäudes, in dem ich mich aufhielt, passenderweise Haupthaus genannt. Eine fotokopierte Gästeliste. Auf der Liste war bereits der achte Name hinzugefügt: Mr. John A. Milano, Haupthaus, 28. Höchstwahrscheinlich das Werk der überaus tüchtigen Miss Riley.

Araujo zufolge waren sechs von den Gästen Filmleute, aber mit einer Ausnahme keine solchen, deren Namen ich gekannt hätte. Die Ausnahme war Michael Calderon, Haupthaus, 24, womit er sich im selben Korridor befand wie ich. Calderon, der alternde Weiberheld mit dem Mandarin-Schnurrbart und einer schauspielerischen Skala von mürrisch bis sehr mürrisch, befand sich damit so deutlich, wie es überhaupt nur ging, auf der Superstar-Ebene. Und er war Hauptrollenträger im letzten Sharon

Bauer-Film gewesen.

Ich sah mir die Liste genauer an. Nur noch ein weiterer Gast war in diesem Gebäude untergebracht, ein Mr. Sidney Kightlinger, Zimmer 20. Aber Mr. und Mrs. Rountree wohnten im sogenannten Bungalow D. Mr. Lou Hoffman und Miss Holly Lee teilten sich Bungalow C. Mr. Kalos Daskalos bewohnte Bungalow A.

Ich breitete den Plan vom Besitz aus. Bungalows C und D lagen am Wasser, südöstlich des Haupthauses, Bungalows A und B nordöstlich davon. In der Mitte zwischen diesen beiden Gebäudepaaren gab es ein Bootshaus und eine Anlegestelle. Ein zusätzlicher Punkt von Interesse: Da Bungalow B unbewohnt zu sein schien, genoß Mr. Daskalos im benachbarten A da oben in nördlichen Gefilden große Ungestörtheit. Und als designiertes Opfer bot er damit auch seinem Mörder, wenn es ihn denn gab, ebensolche Ungestörtheit.

Beim Zusammenfalten des Planes entdeckte ich in einer Ecke eine Inschrift: *Entworfen und beschriftet von M. Riley persönlich.* Tüchtig, talentiert und mit Humor begabt? Selbst ohne noch ein Auge auf sie geworfen zu haben, stand ich im Begriff, ein Fan von ihr zu werden.

Und Schlüsselbewahrerin war sie dazu. Wollte einer heutzutage Sharon Bauer ein blaues Auge verpassen, mußte er vorher bei M. Riley um einen Termin nachsuchen.

Das erstemal, als ich Sharon Bauer in ihrer nach Hasch stinkenden Londoner Mietwohnung bei der King's Road begegnet war, hatte sie hinter der übergroßen dunklen Brille ein Ding von einem blauen Auge gehabt. Und eine glänzende Strieme an der Backe und eine aufgeplatzte Lippe. Das war die Handschrift ihres Agenten gewesen, eines Gangsters namens Frankie Kurtz, der mit Beendigung ihres vorangegangenen Filmes entdeckt hatte, daß er dazu vorgesehen war, ihr Ex-Agent zu werden, wogegen er sich sträubte. Sein Antwortplan darauf war die Einfachheit selbst gewesen: zuerst Erpressung, dann ein gefälschter Vertrag, schließlich Muskelkraft. So schlapp er auch aussah, Muskeln hatte er.

Um ihm Gerechtigkeit widerfahren zu lassen: Er hatte ein achtzehnjähriges Mädchen genommen, das Statistenrollen in Fernseh-Werbespots über sich ergehen ließ, und sie auf die erste Sprosse der goldenen Leiter bugsiert. Das erreichte er, indem er sie an jeden mit Einfluß im Filmgeschäft für jeweils eine Nacht auslieh, bis er ihren ersten Filmvertrag in der Tasche hatte. Dieser erste Film machte Wellen. Der zweite – gute Story, gute Regie und der Zauber von Sharon Bauer – rief eine neuerliche Flutwelle hervor.

Gleich nachdem der dritte Film in London abgedreht worden war, erhielt ich einen Anruf direkt vom Chef der Corinthian Productions, verdammt schnell nach London zu fliegen und die Bauer aus dem zu befreien, worin sie, verdammt noch mal, verwickelt sei, ohne daß ein Wort darüber an die Öffentlichkeit geraten würde.

Verwickelt war sie natürlich in Frankie Kurtz, und es dauerte nicht lange, sie und Corinthian von ihm zu befreien. Auf die Erpressung hätte sie ohnehin nie hereinfallen dürfen; die Leute, mit denen sie zu tun gehabt hatte, waren groß und bösartig genug, um Frankie auf Dauer abzuservieren, sollten ihre Namen offengelegt werden, und Frankie wußte das auch. Der gefälschte Vertrag, der sie zu einem ›Lebenslänglich‹ als sein Besitz verurteilt hätte, war so plump gefälscht, daß Frankie dafür von jedem Gericht, dem das Papier vorgelegt worden wäre, den Strang erhalten hätte. Was die Muskeln anging, so kam ich im weiteren Verlauf dieser Woche zu dem Schluß – womit ich meinen neuerworbenen Rollen als Liebhaber und Ersatzvater noch die des Therapeuten hinzufügte –, meinem Mädchen müßte begreiflich gemacht werden, daß Frankie nicht der einzige war, der sich entschlossen und bereit zeigte, sie zu gebrauchen. Es kostete ein wenig Mühe, ihn in die Wohnung in Chelsea zu bringen, und während Sharon sich an der abgesperrten Tür krümmte, ihr die notwendige blutige Demonstration zu liefern.

Aber unmittelbar nach Abschluß der Sache in London kamen die beiden unfaßbaren Wochen in dem Versteck in Devon. Johnny-und-Sharon-Zeit. Vierzehn Tage. Zwei Wochen. Keine

Pillen. Sie hatte eine Sammlung davon in ihrer Schmuckschatulle mitgebracht, umfangreich genug, um eine ganze Drugstore-Kette damit zu versorgen, und ich kippte das Zeug in der ersten Nacht einfach ins Feuer. Leichter Wein und Bier waren in Ordnung, aber keine harten Sachen. Kein Bedarf daran, wie ich ihr bewies. Alle Abwehrwaffen niedergelegt, alle chemischen Trips storniert, war es einfach das totale Zusammenfinden von Johnny und Sharon, im Bett wie außerhalb davon. Big Daddy und sein kleiner Trabant. Zwei traumhafte Wochen, die einzigen unerfreulichen Zwischenspiele ihre Ferngespräche mit ihrem Medizinmann in Acapulco, Walter Kondracki, einstmals Astrologe für die Stars, jetzt ihr Hexenmeister. Ich wußte bis zum letzten Anruf an jenem Tag nicht, daß er mir über war. Ich wurde zu spät wach, hetzte hinter dem Jaguar her, als er vom Haus zur Landstraße fuhr, schrie wild ihren Namen, bis ich außer Atem stehenblieb und ein Wolkenbruch mich durchnäßte, während ich versuchte, die Wirklichkeit in den Griff zu bekommen. Was immer sie sein mochte, Johnny-und-Sharon war sie nicht. Oder das Bettgeflüster, ob sie das Leben im schlimmen, alten New York überstehen würde, oder ob ich an der Westküste ein Zweigbüro der Firma eröffnen sollte. Die Wirklichkeit schien vielmehr jemand mit dem Namen Walter Kondracki zu sein.

Kondracki.

Daskalos.

Betstunden? Natürlich, das war wohl Pablos Betrachtungsweise. Aber Betstunden bei Sonnenauf- und -untergang hier draußen am leeren Strand?

Gute Frage. Und sie rief andere hervor, die in meinem Schädel hin- und herprallten. Durch sie hindurch hörte ich ein Klopfen an der Salontür, sagte »Herein« und ging in den Wohnraum, als sie hereinkam und die Tür hinter sich schloß.

Der kleine Trabant. Gila Bend, Arizona, war ihr Geburtsort, aber ein Teil von Gila Bend, den zu besuchen Touristen nicht ermuntert wurden. Ein betrunkener deutscher Hilfsarbeiter-Vater, eine verschlampte mexikanische Mädchen-für-alles-Mutter, aber als diese teutonischen und lateinamerikanischen Gene zusammentrafen, hatten sie auf irgendeine Weise ein Wunder bewirkt.

Das Wunder und ich standen da und starrten uns durch den Raum hinweg an, und ich hatte das Gefühl, nun brauchten wir nur noch Dooley Wilson am Klavier, wie er den Text zu ›As Time Goes By‹ sang.

Ich richtete meine Gedanken auf das Bild ihres Jaguars den Weg hinunter zur Straße, nassen Kies in mein Gesicht spritzend. Ich sagte: »Du siehst gut aus, Sharon.«

»Du auch, Johnny.«

»Und nachdem wir das geklärt haben«, sagte ich, »beantworte mir eine Frage. Ist Kalos Daskalos jemand, der einmal Walter Kondracki hieß?«

»Ja«, sagte sie.

* * *

Ehrliche Frage, ehrliche Antwort.

Wenn sie in einer Frage keine echte Bedrohung spürte, wurde sie auf der Stelle zu einer Wahrheitsfanatikerin. Das war der Grund, warum der PR-Mann von Corinthian in London, als ich vorschlug, sie aus der Öffentlichkeit zu ziehen, bis die Spuren der Mißhandlungen verheilt seien, mir sofort seinen Segen gab. Im anderen Fall hätten die internationalen *Paparazzi* nicht nur Fotos von den Verletzungen gehabt, sondern auch ihre offene Erläuterung dazu, wo sie herstammten. Der bewußte PR-Mann hatte sich bei dem Versuch, sie gefahrlos durch Interviews zu steuern, ohne es je ganz zu schaffen, Magengeschwüre zugezogen.

Das Sofa vor dem Kamin war lang und breit. Ich streckte mich darauf aus, verschränkte die Arme auf der Brust, schloß die Augen und überließ mich der Müdigkeit. Die Müdigkeit reichte so tief in die Knochen, daß sie weh tat.

»Johnny« – sie stand vor mir – »wenn du gewußt hättest, daß

er es ist, wärst du dann hergekommen?«

»Für zwanzigtausend Yankee-Dollar? Warum nicht?«

»Zwanzigtausend?« Es klang schockiert. »Ist das der Betrag, den Andrew dir zahlen will?«

»Schon bezahlt hat. Das sind ungefähr sieben Dollar in der Minute. Ich habe mir das in Andrews Privatjet auf dem Weg hierher ausgerechnet. Und die Uhr läuft bis Mittwoch Mitternacht.«

»Sprich nicht so, Johnny.« Eine der Sachen an ihr war diese Stimme, ganz unten in den tiefen Registern, und stets ein wenig heiser. »Und würdest du mich bitte ansehen?«

Ich öffnete ein Auge gerade so weit, um ein verschwommenes Oval von Gesicht, umrahmt von schwarzen Haaren, zu erkennen. Schimmernde saphirblaue Augen. In der Verschwommenheit keine Nase zu unterscheiden. Laurencin pflegte sie so zu malen, ohne Nase. Ein Leichtgewicht, Laurencin, aber ihre Frauen besaßen einen Märchenbuch-Zauber.

Ich sagte: »Was sollen diese Sonnenauf- und -untergangsandachten am Strand? Kondracki wiedergeboren? Oder spielt er noch immer den Guru für die Doofen?«

»Er ist ein Führer zum Weg. Und dabei handelt es sich um Anbetungen.« Sie sagte es sehr geduldig und betonte dort, wo es nötig war, damit selbst ein abgestumpftes Gehirn es aufnehmen konnte. »Und irgend jemand hier will ihn umbringen. Irgend jemand zielt wirklich darauf ab, ihn zu töten.«

»Leute, die im Ernst vorhaben, Leute umzubringen, bringen sie einfach um«, sagte ich. »Sie arbeiten nicht ein ganzes Drehbuch aus, das dem Opfer nahelegt, das Weite zu suchen, bevor es dazu kommt. Höchstwahrscheinlich möchte jemand deinen Mr. Kondracki erschrecken.«

»Nicht Kondracki. Kalos Daskalos jetzt. Das heißt ›der schöne Lehrer‹.«

»Wie auch immer. Aber wenn der schöne Lehrer des Glaubens wäre, er sei hier für eine Hinrichtung vorgesehen, hätte er schon das Weite gesucht. Genau wie ich glaubt er jedoch nicht wirklich daran.«

»Aber er *tut* es.«

»Nun gut, warum packt er dann nicht einfach seine Sachen und verschwindet? Warum geht ihr nicht alle? Das würde den Fall beenden, sobald ihr durch das große schmiedeeiserne Tor dort draußen gefahren seid.«

»Er will nicht fort«, sagte Sharon hilflos. »Er hat keine Angst vor dem Tod. Er glaubt, das sei alles nur ein Teil des Weges. Und wenn er nicht geht, gehe ich auch nicht.«

»Und was ist mit deinem Mann? Hat er keine Stimme?«

»Du brauchst gar nicht so zornig zu sein, Johnny. Andrew sagt, das sei sein Heim, und er ließe sich von keinen Drohungen vertreiben. Das kann man ihm nicht übelnehmen, oder?«

Ich kramte in meiner Jackentasche nach den Zigaretten, und sie schob ihre Hand in die Tasche und zog die Packung und mein Feuerzeug heraus. Unterwegs berührten sich unsere Finger, und meine Müdigkeit war schlagartig verjagt. Sie setzte sich auf die Sofakante, zündete die Zigarette an und steckte sie mir zwischen die Lippen. Es ging keine Duftwolke von Fleurs de Rocaille von ihr aus. Nur ein Körperduft und eine Wärme, die noch mehr zu Kopf stiegen.

»Warum hast du Quist geheiratet?« fragte ich. »Das Geld war es nicht, so viel weiß ich. Du bist bei einer halben Million plus Beteiligung für deine Filme gewesen und hast nicht gewußt, was du damit anfangen sollst. Was war es dann?«

»Ich mußte ihn heiraten.« Sie gab sich sehr vernünftig.

»Natürlich. Er hat dich an die Wand gekettet, die Foltereisen erhitzt –«

»Bitte. Nachdem du und ich –«

»*Du* bist abgehauen«, sagte ich. »Nicht *ich*.«

»Also gut. Danach ging ich nach Acapulco und blieb bei Kalos. Wir hatten dort unsere Versammlungen.«

»Nennt man das jetzt so?« fragte ich.

»Es war nicht das, was du denkst. Es gab keinen Sex. Kalos hält nichts von Sex außerhalb der Ehe. Es waren nur Leute, die an den Weg glaubten.«

»Wo taucht Quist auf?«

»Er hat Unternehmen in Mexiko, und man gab in Acapulco eine große Party für ihn. Kalos begleitete mich hin. Ich war von einer ganzen Menschenmenge umgeben, dann kam jemand herüber und sagte, Mr. Quist wolle mich kennenlernen. Er sitze im Rollstuhl und es sei sehr schwer für ihn, zu mir durchzukommen. Dann deutete Kalos auf ihn und sagte zu mir: ›Das ist der Mann, den du heiraten wirst. Sag es ihm.‹ Und ich tat es. So kam das. Wir heirateten noch an diesem Wochenende.«

»Das träume ich alles«, sagte ich.

»Nein. Der Weg hat mich zu ihm geführt, Johnny.«

»Du mußt völlig ausgeflippt sein«, sagte ich. »Du mußt die Schallmauer durchbrochen haben.«

Sie schüttelte heftig den Kopf.

»Nein. Seit wir – seit der Zeit in Devon habe ich nie mehr etwas genommen.«

»Keine Pillen, keinen Koks, keinen Schnaps? Nicht einmal Hasch?«

»Überhaupt nichts. Kalos ist gegen alles, das einen vom Weg abbringt.«

Ich schnippte meinen Zigarettenstummel in den Kamin und legte den Arm auf meine Augen, um sie nicht sehen zu müssen. Ich sagte: »Dein Mann hat mir zwanzigtausend Dollar bezahlt, nur damit ich auf zwei Tage herkomme und deine Angst lindere. Kannst du dir vorstellen, was er für diese herzerwärmende Bekanntschaft mit dir bezahlt hat?«

»Ich habe später darüber nachgedacht. Und ihn gefragt.«

»Laß mich raten. Er sagte, es sei nichts bezahlt worden.«

»Richtig.« Sie zog den Arm von meinen Augen weg. »Schau mich an, Johnny. Andrew hat es gesagt. Und Kalos sagte, es müsse etwas Böses in mir sein, das mich dazu gebracht hätte, auch nur danach zu fragen. Vielleicht stimmt das.«

»In der Steuerfahndung ist auch etwas Böses«, meinte ich. »Nachdem du mir weggelaufen bist, habe ich den guten Lehrer ein bißchen unter die Lupe genommen. Die Steuerfahndung hatte ihm vor einigen Jahren offenbar allerhand Fragen zu nicht erklärtem Einkommen zu stellen.«

»Davon weiß ich. Andrew auch. Aber das war alles, bevor Kalos den Weg fand.«

Ich schob mich hoch. Meine beiden Kniegelenke knackten, als ich aufstand. Aus der Nähe hatte sie eine klar umrissene Nase, kurz, gerade und makellos. Und volle Lippen, die untere vielleicht ein wenig zu voll. Aber hatte nicht irgendein scharfer Beobachter einmal gesagt, alle echte Schönheit besitze eine kleine Unvollkommenheit?

»Lassen wir den transzendentalen Quatsch weg und reden wir vernünftig. Egal, was hier vorgeht, dein Freund ist anderswo besser dran. Um zehn Uhr geht eine Maschine nach New York, und ich kann mit ihm darin sitzen.«

»Ich habe dir gesagt, er geht hier nicht weg, Johnny. Frag Andrew. Er hat sich mit Kalos schon auseinandergesetzt. Würdest du, bitte, jetzt gleich mit Andrew reden?«

»Nein. Erst ein paar Stunden Schlaf, dann Andrew.«

Sharon sagte bedrückt: »Aber er erwartet dich jetzt. Außerdem dachte ich, daß du mit allen zu Abend ißt und sie dir ansiehst. Das Abendessen findet hier immer um acht Uhr statt.«

»Wenn du jetzt gehst, vereinbarst du mit jemandem, daß er mich um halb zehn persönlich weckt und mir ein Sandwich und Kaffee mitbringt. Ich spreche mit Andrew um zehn.«

»Das wird ihm nicht behagen, Johnny.«

»Mag sein«, sagte ich. »Aber so kann es einem Klienten gehen, der im voraus bar bezahlt.«

* * *

Es war Pablo, der mich weckte und meinen Imbiß brachte, eine Anzahl bissengroßer Finger-Sandwiches, jedes mit einer andersartigen, aber gleich geschmacklosen Füllung. Ich spülte ein paar dieser Exempel für die Ernährung reicher Leute mit lauwarmem Kaffee hinunter und entschloß mich, eine notwendige Rasur und das Umwechseln auf weniger zerknitterte Kleidung zu verwerfen. Es ging mir gegen den Strich, mich für die erste Begegnung mit Majestät hübsch zu machen.

Pablo zufolge bewohnten Mr. und Mrs. Quist den Südflügel, Erdgeschoß. Im Erdgeschoß, das noch immer so staunenerregend trostlos aussah wie der Grand Central-Bahnhof um zwei Uhr nachts, ging ich in Richtung Süden, bis ich zu einem Quergang kam, der eine Reihe massiver Türen aufwies. Ich klopfte gleich an die erste, und sie wurde von einer langgliedrigen jungen Frau mit stupsnasigem, stark sommersprossigem, überaus lebendigem Gesicht geöffnet. Ungekämmtes blondes Haar, das Gesicht teilweise verdeckend, verlieh ihr etwas vom Aussehen eines Collie.

»M. Riley?« sagte ich. »Kartographin und Humoristin?«

Und sie sagte: »Mein Gott, endlich anerkannt. J. Milano, nehme ich an?«

Ich bestätigte es und sagte, das J stehe bei meinen Freunden für Johnny, und sie sagte, das M stehe für Maggie.

»Maggie«, sagte ich. »Fein. Das mag ich.«

»Sie mögen vermutlich auch Corned Beef und Kohl«, sagte sie, und zufällig traf sie den Nagel auf den Kopf.

Sie führte mich durch einen Vorraum in das Wohnzimmer dahinter. Sharon hatte sich dort in einem riesigen Lehnstuhl vergraben, die Beine angezogen, einen orangeroten, vollen Hefter auf dem Schoß. In der Wohnung in London hatten sich diese bunten Bände gestapelt. Filmdrehbücher, eingereicht von den Hoffnungsvollen. Araujo saß an einem Tisch in der Mitte des Zimmers und brütete über einem Schachbrett. Auf der anderen Tischseite, mit dem Rücken dazu, stand ein Rollstuhl. Der kahle, sonnenverbrannte Kopf des Insassen, umschlossen von einem Hufeisen kurzgeschorenen, grauen Haares, war alles, was ich von ihm sehen konnte. Ohne Zuhilfenahme eines Brettes spielend, nannte Quist seine Züge mit rascher Autorität. Araujo, der sich bei jedem Zug mit gefurchter Stirn Zeit ließ, wirkte angesichts seiner Aussichten zunehmend bedrückter.

»Virgilio ist gut«, vertraute mir Maggie leise an, »aber hier kein Gegner. Es wird ganz schnell vorbei sein.«

So war es auch. Araujo knurrte, um die Niederlage einzugestehen, und begann die Figuren gereizt in ihr Etui zurückzulegen. Der Rollstuhl war batteriebetrieben, wie ich sah, als Quist ihn herumdrehte, um sich mir zuzuwenden. Er hatte ein gutes Gesicht, hart und klug, markant und mit tiefen Furchen. Keine schlechte Kopie eines römischen Senators aus Cäsars Zeit, der schon alles gesehen und dabei ein feingeschärftes Gefühl für das Lächerliche entwickelt hat.

Sharon hatte einen heftigen Empfang durch ihn prophezeit, falls ich mich an meinen eigenen Zeitplan hielte. Statt dessen wirkte er reumütig.

»Ich muß Ihnen einen langen, harten Tag bereitet haben«, sagte er abrupt. Er stützte sich mit den Armen auf die Rollstuhllehnen und strengte sich an, um aufzustehen. Ich wollte vortreten und ihm behilflich sein, aber als ich sah, daß die anderen sich nicht rührten, schaute ich einfach zu und wartete. In einer Art Golfsack an der Rückenlehne steckten zwei Metallkrücken. Quist hielt mühsam das Gleichgewicht, zog sie heraus und legte mit ihrer Hilfe die wenigen Schritte zu mir zurück. Er trug Bermudashorts, und ich konnte nicht umhin, auf die spindeldürren, verkrümmten Beine hinunterzublicken, die den muskelbepackten Rumpf trugen. Quist bemerkte es.

»Arthritis rheumatica«, sagte er.

»Tut mir leid.«

»Nicht mehr als mir.« Wir tauschten einen Händedruck, er hatte einen kraftvollen Griff. »Wir können die Zeremonie abkürzen. Mrs. Quist ist natürlich eine höchst dankbare ehemalige Klientin. Virgilio haben Sie kennengelernt. Das ist meine nahezu unentbehrliche Miss Riley. Und jetzt wollen wir die Truppen zum Einsatz bringen.« Er steuerte mich – es war eher die Frage, wer wen steuerte – zu einem Platz am Tisch, dann quälte er sich zum Rollstuhl zurück. Maggie ließ sich am Tisch nieder. Ich folgte ihrem Beispiel. Sharon rutschte tiefer in den Sessel.

»Also«, sagte Quist zu mir, »irgendeine fertige Lösung für unser übles kleines Problem?«

Ich erwiderte: »Ja, Daskalos einfach von der Bühne schaffen.«

»Nur will er nicht weggeschafft werden«, erklärte Sharon von ihrem Sessel her, und Quist sagte beschwichtigend über die Schulter: »Natürlich, Liebes, das ist klar.«

»Nicht für mich«, gab ich zurück. »Und ich bin sicher, daß ich hier nicht der einzige bin, der weiß, wer und was der Mann wirklich ist.«

»Wer und was er war«, verbesserte Quist, und Maggie sagte zur Decke hinauf: »›Es gibt mehr Dinge im Himmel und auf Erden –‹«

Ich sah von einem zum anderen.

»Zwei Stimmen für Mr. Daskalos? Er übt seine alte Magie gehörig aus, wie? Aber bevor ich auch unter den Bann gerate, sollte ich vielleicht noch die Möglichkeit erwähnen, daß er derjenige sein könnte, welcher hinter Ihrem üblen kleinen Problem steckt.«

Maggie wirkte verwirrt. Araujo sah Quist fragend an. Quist sah mich fragend an.

»Aus welchem vorstellbaren Grund?«

Ich wandte mich an Araujo.

»Haben Sie irgend etwas gefunden, das Daskalos von jedem Verdacht freispricht?«

»Nein. Aber bitte verstehen Sie, die Art von Mensch, die er jetzt zu sein scheint –«

»Offenkundig ein Heiliger«, sagte ich.

Sharon kam hinter Quist heran. Sie sagte zu mir: »Johnny, warum ein solches Urteil fällen, bevor Sie ihn und die anderen kennengelernt haben? Oder die Briefe gesehen. Oder erfahren, was Rufus zugestoßen ist.«

»Rufus?« sagte ich, und Quist erwiderte: »Der Hund.« Er streckte den Arm aus und zog Sharon an seine Seite. »Liebes, wenn wir nicht jede Möglichkeit in Betracht ziehen –«

»Oh, bitte«, sagte Sharon, »du weißt, daß Kalos keinem Tier wehtun würde, geschweige denn, es töten. Oder irre Briefe an sich selbst schreiben würde. Maggie, wo sind die Briefe?«

Maggie kramte in einer Aktentasche auf einer Anrichte und kam mit einem Umschlag zurück, den sie mir reichte. Er war beschriftet mit ›An K. Daskalos‹. Darin befanden sich drei Blätter. Ich sagte zur ihr: »Nur ein Umschlag?«

»Das war der letzte. Kalos kam nicht auf den Gedanken, die anderen aufzubewahren.«

Die Texte waren auf dickes Büttenpapier getippt; ein Datum über jeder Mitteilung, keine Unterschrift.

*Montag, 16. Januar*
*Ich bin in der Hölle. Du hast mich hineingebracht und mußt mir dort Gesellschaft leisten. Das wird das Ende Deines Weges sein. Aus der Hölle gibt es keine Rückkehr.*

Der erste Satz erinnerte mich an etwas. Faust? Es klang ganz gewiß danach.

*Donnerstag, 19. Januar*
*Was mit dem Hund geschehen ist, soll Dir geschehen. Die Hölle wartet. Bald wirst Du sie betreten.*

Ich sagte zu Quist: »Wo ist Ihr Hund umgebracht worden?«

Und er antwortete mühsam: »In meinem Büro.« Er räusperte sich. »Eine brutale Tat. Aber der Brief, der nun kommt, ist der eigentliche Knüller.«

*Sonntag, 22. Januar*
*Jetzt zähle die Stunden. Deine letzte Stunde auf der Erde endet um Mitternacht an diesem Mittwoch.*

»Kurz und lieb«, sagte ich, und Quist warf ein: »Auf jeden Fall kurz. Hat Virgilio Ihnen erzählt, daß am Freitag ein Wachmann hier ein blutiges Tranchiermesser in Daskalos' Tür gerammt gefunden hat?«

»Ja. Und auch, daß Sie die Polizei heraushalten wollen. Aber wenn Fingerabdrücke an dem Messer sind –«

»Keine«, sagte Quist. »Sonst wäre die Polizei schon hier gewesen, um zur Identifizierung beizutragen. Wenn Sie darauf hinauswollen.«

»So etwa«, gab ich zu. »Und die Schreibmaschine? Man braucht kein Fachmann zu sein, um zu erkennen, daß alles mit derselben Maschine geschrieben worden ist – dieselben hängenden ›o‹ und schiefen ›t‹ in jedem Brief – und wenn es eine denkbare Spur zu der Maschine gibt –«

»Weit mehr als eine Spur«, warf Araujo ein. Alle Augen richteten sich auf Maggie. Sie sagte reumütig zu mir: »Es ist meine Maschine. Das hängende ›o‹ und das schiefe ›t‹. Meine große, alte Hermes. Ich bin sicher, daß auch das Papier von mir stammt. Direkt aus meinem Schreibtisch.«

»Wo steht Ihre Maschine?« fragte ich, aber bevor sie antworten konnte, sagte Quist plötzlich mit erschöpfter Stimme: »Zeigen Sie sie ihm, Maggie. Und helfen Sie in jeder Beziehung.« Er wandte sich an mich, schlagartig große, glänzende Schweißtropfen auf dem Gesicht. »Ich sehe Sie morgen im Nebenhaus. Um zehn. Wenn Sie mich jetzt alle entschuldigen –«

Kompanie weggetreten.

* * *

Maggie führte mich durch den äußeren Korridor und sagte: »Sie müssen verstehen, daß der Schmerz einsetzt, wenn er so wird. Stark.«

»Was tut er dagegen? Nimmt er starke Mittel?«

»Nein, das gestattet er sich nicht. Höchstens ein leichtes Schmerzmittel. Und in seinem Badezimmer steht ein Jacuzzi-Gerät. Und natürlich hält Sharon ihm die Hand.«

»Möchten lieber Sie es sein, die sie hält?«

Sie stockte einen Augenblick im Schritt.

»Ist das jetzt Detektivarbeit, oder erhalten schmutzige Gedanken freien Lauf?«

»Nicht schmutzige. Abgelegene. Sie gewöhnen sich am besten

daran. Sind Sie schon vor seiner Heirat in Quists Diensten gewesen?«

»Zwei Jahre vorher. Aber eines wollen wir gleich klarstellen. Ich hatte nie Absichten auf Andrew, ich habe nie mit ihm geschlafen, ich rechne nie damit.«

»Das sind drei Dinge. Gehen alle diese Türen hier auf Quists Wohnung?«

»Die meisten. Das sind Sharons Räume. Die nebenan gehören Andrew. Dann kommen meine. Aber immer langsam, Milano.« Sie blieb stehen und sah mich an. »Sie haben eben eine große Büchse Würmer umgestoßen. Ich möchte sie alle wieder drinhaben, bevor wir weitermachen.«

»Gewiß. Es tut mir leid, daß ich Ihre Wurmbüchse umgestoßen habe, Gnädigste.«

»Sollte es auch. Es ist nicht nur so, daß ich Andrew zu sehr achte, um ihn in etwas Anrüchiges hineinzuziehen; zufällig sind Sharon und ich auch noch völlig *simpática*, und das aus einem sehr gutem Grund.«

»Sehr enge Freundinnen?«

»Sehr enge. Ich gebe zu, daß es gedauert hat. Als Andrew sie das erste Mal mit nach Hause brachte, war mein spontaner Gedanke, o je, hier kommt Hollywood. Und als was entpuppte sie sich? Als ein kleines, verirrtes Lamm. Das war es, was auch Sie festgestellt haben, nicht wahr, Milano?« Sie sah wissend drein. »Und ich rede nicht von ihr als nur Ihrer Klientin. Ich habe den Eindruck, das war das Geringste dabei.«

»Soll das heißen, sie hat Ihnen von uns erzählt?«

»Wem sonst konnte sie es sagen? Und wenn eine so verletzliche Frau wie diese mit dem Urbild des edlen Ritters zusammentrifft, sehnt sie sich bei Gott danach, es jemandem zu erzählen. Aber der springende Punkt ist der, daß Sie sie mindestens so gut kennen wie ich. Sie müssen also wissen, daß ich die Wahrheit über unsere Beziehungen sage. Ihre und meine.«

Ich sagte: »Es sind Leute wie Sie, die es einem Detektiv leichtmachen. Wo ist Quists Büro?«

»Hier.« Sie drückte eine Tür auf, und als ich darauf hinwies, daß alle diese unverschlossenen Türen Bösewichtern mühelosen Zutritt erlaubten, sagte sie zu liebenswürdig: »Aber sehen Sie, das ist eben nicht das Hesperiden-Hilton. Es ist zufällig ein Privathaus.«

»Ein mächtig großes«, sagte ich. »Und Sie haben mächtig große Vorurteile, wie?«

Es genügte, um sie abzukühlen.

»Nun ja, vielleicht. Aber dieses Gerede über mich und Andrew hat es immer gegeben. Und es macht mich jedesmal fuchsteufelswild.«

»Lassen Sie das nicht zu«, sagte ich. »Sie sollten wissen, daß diese Art von Gerede einfach dazugehört.«

Abgesehen von dem schönen Orientteppich war nichts Luxuriöses an Quists Büro. Schlichte, sachliche Möbel, ein paar Aktenschränke. Auf der anderen Seite des Raumes zeigte eine doppelte, gerippte Glastür einen schwach beleuchteten Bereich dahinter.

»Eine Terrasse«, erklärte Maggie. »Sie verläuft auf dieser Seite am ganzen Gebäude entlang.«

»Und die ausgebleichte Stelle dort im Teppich –«

Maggie schien davon hypnotisiert zu sein.

»Blut. Eine ganze Lache. Ihr Pech, Sharon mußte die erste sein, die hineinplatzte. Es traf sie wirklich hart. Und Andrew hing maßlos an dem Hund.«

»Was für eine Rasse?«

»Irischer Setter. Ein großer, gutmütiger Sabberer, wenn es je einen gegeben hat.«

»Sharon stieß also als erste auf das scheußliche Bild. Wer war der nächste?«

Maggie dachte nach.

»Zwei Leute vom Personal. Dann rief einer davon im Nebenhaus an, wo ich bei Andrew war, um es uns zu sagen, so daß wir wohl die nächsten waren. Danach stürmten alle hier herein.«

»Was ist das für ein Nebenhaus?«

»Das nächste Gebäude dort.« Sie wies nach Süden. »Turnhalle, Schwimmbecken, Sauna, alles. Bis Mittag für die Öffentlichkeit gesperrt. Andrew benutzt den Bau morgens manchmal und will dort für sich sein. Da treffen Sie ihn morgen.«

»Hat er gesagt. Wüßten Sie davon, wenn jemand hier eine Injektionsspritze versteckt? Außerhalb des Personals, meine ich.«

Maggie sah mich stirnrunzelnd an.

»Warum?«

»Neugier. Gibt es hier jemanden, der in Frage käme?«

»Um genau zu sein, ja. Einer wäre schon einmal Andrew.«

»Ich dachte, er nimmt keine starken Drogen.«

»Tut er auch nicht. Sie dient für Vitaminspritzen. B 12-Behandlung.«

»Sie haben gesagt, schon einmal Andrew. Wer noch?«

»Kein großes Geheimnis. Wer noch, das ist eine etwas hartgesottene Dame namens Belle Rountree.«

»Belle Rountree, Scott Rountree, Bungalow D«, sagte ich, und Maggie meinte anerkennend, ich hätte mich offenbar über meine Hausaufgaben gemacht.

»Scottie ist Romanschriftsteller und vielleicht Drehbuchautor. Es ist sein Skript, das verfilmt werden soll, wenn Andrew den Scheck unterschreibt. Belle ist Scotties Frau. Sie ist Diabetikerin. Insulin. Sie hat jede Menge von diesen Wegwerfspritzen.«

Sie wartete auf meine Reaktion und wirkte betroffen, als ich sagte: »Ich sehe keine Schreibmaschine. Wo bewahren Sie sie auf?«

»Gleich nebenan in meinem Büro. Aber wollen Sie nichts über die Rountrees hören? Oder über die anderen?«

»Von den Rountrees habe ich eben gehört. Was ist mit den anderen?«

»Nun, Sid Kightlinger ist der Produzent, der das Filmpaket zusammengestellt hat und möchte, daß Andrew die Hälfte der Kosten übernimmt. Corinthian Productions hat sich schon bereit erklärt, die andere Hälfte zu übernehmen, wenn Andrew mitmacht.«

»Wieviel ist die Hälfte?«

»Eine Million. Und das Paket besteht aus Scotties Drehbuch, das er aus seinem Buch ›Zwei plus eins‹ gemacht hat, aus Lou

Hoffman als Regisseur und Mike Calderon für die Hauptrolle.«

»Dann bleibt eine Holly Lee Otis, die mit Hoffman in Bungalow C zusammenlebt«, sagte ich. »Aus den naheliegenden Gründen, wie ich annehme.«

Maggie nickte klug.

»Und aus ein paar anderen. Es gibt in dem Film drei große Rollen, und Holly Lee ist für eine davon vorgesehen. Eigentlich ist sie fast noch ein halbes Kind, aber man schätzt ihre Aussichten hoch ein. Jedenfalls tut das Lou Hoffman. Um das Paket noch zu vervollständigen – oder hat Sharon Ihnen davon schon erzählt?«

»Wovon?« sagte ich, und Maggie erklärte mit hochgezogenen Brauen: »Daß sie die Hauptrolle neben Calderon spielen will.«

»Ein Comeback? Und Quist macht da mit?«

»Wenn es das ist, was sie will. Und wenn der Film hier in der Gegend gedreht wird, nicht an der Westküste. Das ist kein Problem. Sid Kightlinger würde ihn in Grönland drehen, wenn sie mitspielt. Sein Lieblingswort für sie ist: bankfähig.«

»Ein Wort, das seine Reize hat. Und jetzt sehen wir uns die Schreibmaschine an.«

Ihr Büro war genauso eingerichtet wie das von Quist, ebenso unauffällig, aber es machte den Eindruck, daß hier angestrengt gearbeitet wurde. Überall Stapel von dicken Heftern, wohlgefüllte Bücherregale, der Inhalt in einem Durcheinander, das darauf schließen ließ, daß er ständig benutzt wurde. Und im Gegensatz zu den anderen Räumen, die ich bisher hier gesehen hatte, gab es an den Wänden Bilder. Erstklassige Reproduktionen; mindestens ein Dutzend van Goghs; ein paar Gauguins; eine große von Seurats ›Grande Jatte‹.

»Hübsch«, sagte ich zum Zimmer im allgemeinen, und Maggie erwiderte: »Das habe ich auch einmal gedacht. Jetzt ist es ein Ort, wo jemand immer wieder heimlich hereinschleicht, um krankhafte Briefe zu schreiben. Ich kann es nicht einmal mehr ertragen, die Maschine zu benutzen. Ich muß sie weggeben.«

»Noch nicht gleich.« Ich zog ein Blatt Papier in die Hermes und tippte ein paar Probezeilen. Ich hielt Maggie das Blatt hin.

»Strengt eigentlich die Augen an, etwas so Blasses zu lesen, nicht?«

»Ich weiß«, sagte sie defensiv. »Ich wechsle die Farbbänder so ungern. Das wird jedesmal ein Debakel.«

»Wann war das letzte Mal? Vor einer Woche?«

»Ich nehme an. Irgendwann um diese Zeit.«

»Dann können Sie aufhören, sich Gedanken über Leute zu machen, die alle paar Tage hier hereinschleichen, um krankhafte Briefe zu schreiben. Diese Briefe haben alle dieselbe kohlschwarze Schrift, wie man sie bei einem neuen Farbband erhält. Vorausgesetzt, daß Sie in der vergangenen Woche die Maschine tüchtig benutzt haben –«

»Das habe ich.«

»Dann können wir davon ausgehen, daß die Briefe alle zur selben Zeit geschrieben worden sind«, sagte ich. »Vermutlich am letzten Montag.«

Maggie zerbrach sich den Kopf.

»Wird Ihnen das helfen, festzustellen, wer sie geschrieben hat?«

»Das kann ich noch nicht sagen. Aber es steuert das Profil einer Person bei, die einen präzisen, langfristigen Plan ausgearbeitet hat und ihn nun Schritt für Schritt durchführt. Und das heißt, eine Person, die nicht ganz so verschroben ist, wie diese Briefe sie erscheinen lassen. Sie oder ihn.«

»Sie?« sagte Maggie. »Belle Rountree? Holly Lee? Ich glaube, daß beide nicht –«

»Araujo auch nicht. Aber vorerst gestehen wir keine Ausnahmen zu. Was wir tun, ist, eine interessante Frage zu betrachten. Warum ist der Plan so langfristig angelegt? Warum hat der Briefschreiber bis zur Stunde X neun Tage Frist gelassen? Warum nicht allerhöchstens zwei oder drei?«

»Also gut, warum nicht?«

»Ein sadistischer Grund könnte sein, daß das die Qual des vorgesehenen Opfers verlängert«, meinte ich. »Der Haken dabei ist, euch hier zufolge, daß das vorgesehene Opfer keineswegs Qualen empfindet.«

Maggie starrte mich an.

»Möchten Sie denn, daß er es tut?«

»Was soll das heißen?«

»Daß Sie Kalos nie verzeihen werden, zerstört zu haben, was Sie und Sharon miteinander hatten. Wenn ihm also etwas zustößt –«

»Ich sehe schon, daß Sharon mit der Geschichte vom edlen Ritter nicht hinter dem Berg gehalten hat«, sagte ich.

»Nein, hat sie nicht. Und die Vorstellung, Sie könnten sie jetzt bewußt im Stich lassen, wenn sie –«

»Sie haben einen sehr niedrigen Siedepunkt, wie?« unterbrach ich sie. »Aber betrachten Sie es so: Wenn Daskalos die Kehle durchgeschnitten wird, gibt es eine heiße Meldung von Küste zu Küste. Und ich sitze mittendrin und sehe dämlich aus. Das würde mich eher deprimieren.«

»Ich weiß nicht.«

»Ich auch nicht. Zu dieser Schreibmaschine, etwa. Das ist eine mitgenommene mechanische, keine elektrische schnelle Maschine. Und das auf dem Block hier ist keine Kurzschrift, es scheint eine Art selbsterfundenes Maggie-System zu sein. Sie sind also keine ausgebildete Sekretärin?«

»Nein, bin ich nicht.«

»Wie haben Sie den Job bei Quist dann bekommen?«

»Hören Sie, wenn Sie schon wieder darauf hinauswollen, daß Andrew und ich –«

»Es ist spät«, sagte ich müde. »Und mit jeder Minute wird es später. Wollen Sie aufhören, Ihre – und Andrews – Ehre zu verteidigen, und mir einfach die Frage beantworten?«

»Also gut, ich bin Kunsthistorikerin. Am Ende hatte ich eine Anstellung bei der Stadtbibliothek von Miami, Abteilung Kunst. Ich arbeitete nebenher für Andrew, als ich dort war, Nachforschungen und dergleichen, und als er die Quist-Sammlung begründete, nahm er mich als Kuratorin gleich mit. Der Rest – das mit der Privatsekretärin – ergab sich von selbst. Zufrieden?«

»Wenn Sie es sind. Araujo hat die Sammlung Quist ebenfalls erwähnt. Befindet sie sich hier auf dem Gelände?«

»Nein. Sie ist im Original-Geburtshaus an der Bicknell Avenue nähe Stadtmitte untergebracht. Eigentlich ein Herrensitz. Andrew gab ein Vermögen dafür aus, ihn in ein richtiges Museum zu verwandeln. Falls das Thema zufällig zur Sprache kommt, wenn Sie mit ihm reden, passen Sie auf. Da ist er sehr empfindlich.«

»Warum?« fragte ich. »Ist er auf Fälschungen sitzengeblieben?«

»Durchaus nicht. Aber die Öffentlichkeit darf nicht hinein. Und zur Zeit läuft ein Musterprozeß gegen Andrew, bei dem wegen der Steuerbefreiung Besichtigungsstunden für alle verlangt werden. Das macht ihn krank. Vor allem, seitdem es einen Fall gegeben hat –«

»Den Fall Barnes«, sagte ich. »Dr. Barnes, der Argyrol-König. Hatte eine großartige Sammlung auf seinem Besitz in Pennsylvania weggesperrt, bis die Gerichte die Erben zwangen, sie der Öffentlichkeit zugänglich zu machen.«

Maggie gaffte mich an.

»Davon wissen Sie?«

»Ich bin dort gewesen. Es ist wirklich eine einzigartige Kunstsammlung.«

Sie preßte die Hand an die Stirn.

»O Gott, ich muß so abscheulich herablassend gewirkt haben –«

»Ich überlebe es. Ab und zu habe ich auch mit Kunst zu tun. Es kommt vor, daß schöne Bilder gestohlen und sozusagen als Geiseln genommen werden. Manche Versicherungen haben es lieber, wenn anstelle der Polizei eine private Firma das übernimmt. Was mich zu der Frage veranlaßt, wie sicher die Exponate in der Sammlung Quist sind. Wie hoch ist der Schätzwert?«

»Ungefähr fünfzehn Millionen. Aber Virgilio ist der Ansicht, die Sicherheit sei gewährleistet. Er ist derjenige, welcher das System dort eingerichtet hat: Elektronik und viele Leute.« Sie fuhr plötzlich hoch. »Sie meinen, diese Drohungen gegen Kalos könnten eine Methode sein, uns zu veranlassen, die ganze Aufmerksamkeit ihm zu widmen, während jemand in der Zwischenzeit die Sammlung ausraubt?«

»Man hat schon Seltsameres gehört.« Ich lachte. »So, wie Sie jetzt aussehen, glaube ich, wenn Sie die Wahl hätten, daß irgend jemandem die Kehle durchgeschnitten oder eines von diesen Bildern gestohlen wird –«

Sie sagte vorwurfsvoll: »Das ist aber wirklich nicht wahr. Nun gut, es gibt da ein paar Bilder – die von van Gogh –, und ich weiß nur, daß ihnen nie etwas zustoßen darf. Niemals!«

»Vincent ist der Größte?«

»Absolut. In jeder Beziehung.« Sie meinte es ernst.

»Ist das der Grund, warum Sie ein Buch über ihn schreiben?« Ich klopfte auf die Schachtel neben der Hermes, die halb mit beschriebenen Seiten gefüllt war, und konnte sehen, wie Maggie sich verkrampfte.

»Woher wissen Sie, daß das von mir ist?« gab sie zurück. »Woher wissen Sie überhaupt, daß es um ihn geht?«

»Ich nehme an, es ist von Ihnen, weil das Manuskript hier ist. Ich nehme an, es geht um ihn, weil der Name Vincent auf diesem obersten Blatt ständig vorkommt.«

»Sehr scharfäugig von Ihnen. Aber mit dem Grund Ihres Hierseins hat das nichts zu tun. Nein, warten Sie.« Sie sah mich grübelnd an. »Mit Ihrer Erfahrung könnten Sie ein paar Ratschläge geben.«

»Unter Kunstexperten bin ich kein Kunstexperte, liebe Dame.«

»Nicht in dieser Beziehung. Ich meine, als berufsmäßiger Ermittler. Als Experte in dem Fach, Menschen und Dokumente aufzuspüren.«

»Ein andermal.«

»Morgen?«

»Morgen. Wie wär's, wenn Sie mir dafür Bettlektüre borgen würden?« Ich sah mir die Regale an. »Irgend etwas dabei, das Sie mir empfehlen könnten? Außer einer Biographie van Goghs?« Die Regale waren in Augenhöhe mit Kunstbüchern gefüllt, zumeist Arbeiten über Impressionisten und Spätimpressionisten.

Maggie wies auf die unteren Fächer.

»Vielleicht davon etwas. Aber was ist mit dem Messer? Virgilio hat es hier in den Wandtresor gelegt. Wollen Sie es nicht sehen?«

»Tja, ich habe den Eindruck, wenn man *ein* blutiges Tranchiermesser gesehen hat, hat man sie *alle* gesehen. Ich habe schon eines gesehen.« Die unteren Fächer enthielten ein wirres Gemengsel von Bänden über Forschungsreisen, eine ganze Reihe wahrer Kriminalfälle, mehrere Bände über Jack the Ripper. Als ich darauf zeigte und fragte: »Auch einer Ihrer Lieblinge?« sagte Maggie: »Er hat mit dem zu tun, was ich schreibe. Ich erkläre es Ihnen morgen.« Und als ich mich für ein ziemlich neu aussehendes Buch mit dem Titel ›Bligh und die Bounty‹ entschied, nahm sie es mir aus der Hand und ersetzte es durch einen ›Jack the Ripper‹.

»Frischen Sie auf«, befahl sie. »Das gehört zum Thema.«

Ich unterdrückte mühsam die Verlockung, sie zu fragen, auf welche Weise.

»Wird morgen früh eine von Daskalos' Sonnenaufgangsvorstellungen am Strand stattfinden?«

»M-hm. Wenn das Wetter gut ist.«

»Ah, ja«, sagte ich. »Infolge Schlechtwetter kann es sein, daß der heilige Kalos morgen keine Wunder vollbringt.« Und ich erfuhr, daß Maggie Riley, wenn sie breit lächelte, wie flotte Sechzehn aussah. »Jedenfalls möchte ich dabei sein«, fuhr ich fort. »Vielleicht kann mich jemand rechtzeitig wecken.«

»Gewiß.« Dann fragte sie nüchtern: »Macht es Ihnen etwas aus, wenn ich Ihnen etwas anvertraue? Etwas ganz Persönliches?«

»Ich bin auf alles gefaßt.«

»Also gut. Als Sharon darauf bestand, Sie beizuziehen, hielt ich das für das Dümmste, was man tun konnte. Ich meine, wenn man so viel weiß über Sie beide, weiß, wie sie immer noch zu Ihnen steht –«

»Halt, liebe Dame«, sagte ich. »›Immer noch‹ ist in diesem Zusammenhang gewiß übertrieben.«

»Es ist das passende Wort. Jedenfalls, wenn man das alles

weiß, hatte ich das Gefühl, sie könnte sich auf ein paar sehr gefährliche Komplikationen einlassen, wenn Sie wirklich auftauchen sollten.«

»Verstehe. Und jetzt sind Sie anderer Meinung?«

»Nein«, sagte Maggie, »das bin ich nicht. Es ist nur so, daß ich, nachdem ich Sie kennengelernt habe, endlich verstehen kann, warum sie Sie hier haben wollte.«

Ich wartete.

»Das ist alles«, sagte Maggie.

* * *

Das Klicken der Lampe an meinem Bett weckte mich aus dem Schlaf. Ich öffnete die Augen und ertappte mich dabei, daß ich im Lampenlicht ein großartiges Paar Beine bewunderte. Über den Beinen befanden sich abgeschnittene Jeans, über diesen war ein dicker, schwarzer Rollkragenpullover zu sehen. Ganz oben beugte sich ein sommersprossiges Gesicht über das meine, durch einen Vorhang aus langen, blonden Haaren halb verborgen.

»Es ist sechs vorbei, Milano«, sagte Maggie. »Nichts wie auf, wenn Sie an der Andacht teilnehmen wollen.«

Als ich geduscht und angezogen in den Salon ging, wartete sie an einem Serviertisch mit Rädern auf mich. Auf dem Tisch standen Orangensaft und Kaffee, dazu gab es ein paar angekohlte, dick gebutterte Scheiben Toast.

»Notrationen«, sagte Maggie, als ich mich setzte.

Den Körnchen nach war der Orangensaft frisch ausgepreßt.

»Gestern nacht ist Ihnen herausgerutscht, daß Sie und Sharon – nach Ihren eigenen Worten – völlig *simpática* seien, und das aus gutem Grund«, sagte ich. »Was ist der Grund? Hat Quist es Ihnen beiden schwergemacht?«

»Und das wäre genau das, was Sie gerne glauben möchten, nicht wahr?« sagte Maggie tückisch. »Vor allem bei Sharon.«

»Kluges Mädchen. Was ist der Grund?«

Sie biß knirschend in eine Scheibe Toast.

»Sie wissen, wo Sharon herkommt, nicht wahr? Benzinkanisterdorf, Arizona. Brutaler Vater, eine Mutter, die überall herumschlief.«

»Ja.«

»Nun, tauschen Sie Sand gegen Sumpf, und da komme ich her. Maggie Riley, das Mädchen aus den Everglade-Sümpfen. Das bin ich. Nur daß mein Vater keine Kinder geschlagen hat, sondern einfach ein nutzloser Trunkenbold war. Und meine Mutter nicht herumschlief. Sie hatte keine Zeit dazu. Sie lag meistens im Landkrankenhaus und ließ sich Teile herausnehmen.«

»Sie haben einen weiten Weg zurückgelegt, Baby. Wie haben Sie das geschafft?«

»Genauso wie Sharon. Aber nicht mit Männern. Da war diese Kunstlehrerin in der Oberschule – eine große, alte Lesbe, der ich gefiel. Sie machte mich süchtig nach Kunst, nach dem vornehmen Leben, zum Beispiel danach, daß man eine Toilette direkt im Haus haben kann; sie zog mich an wie ihr eigen klein Püppchen; half mir, die Stipendien zur Miami-Universität zu bekommen, als die Zeit reif war.«

»Im Austausch wofür –?«

»Das liegt doch nahe, oder? Mir machte es nichts aus. Es war zuzeiten sogar sehr angenehm. Nicht, daß ich das als Lebensstil je akzeptiert hätte.« Sie sah mich forschend an. »Für wie alt halten Sie mich überhaupt, Milano?«

»Was spielt das für eine Rolle?«

»Eine große. Weil Sie einen ›armes-kleines-Ding‹-Blick in den Augen haben, und ich kein kleines Ding bin. Ich bin dreiunddreißig. Nächsten Monat vierunddreißig. Und auf meine eigene Art sehr hartgesotten. Als ich zwölf war, lief ich schon mit meinem Daddy und meiner eigenen Flinte herum und wilderte Alligatoren. Und flickte kaputte Sumpfbuggies mit Spulendraht und Spucke.«

»Hartgesotten und sehr empfindlich«, sagte ich. »In vieler Hinsicht.«

»Wie Sympathie einstecken, wo sie nicht gebraucht wird?

Sparen Sie sich das für Sharon. Seelisch ist sie immer noch in der Benzinkanisterstadt und reibt sich, wo es schmerzt. Im Gegensatz zu mir ist sie nie klargeklopft worden.«

»Und Sie sind die große Schwester, die sie klarklopfen möchte.«

»Nein«, sagte Maggie. »Ich höre nur zu und verstehe. Und manchmal sage ich zu mir selbst: ›Wenn Gott dich nicht beschützt hätte –‹« Sie sah mich über ihre Kaffeetasse hinweg unverwandt an. »Ich sage es Ihnen ganz offen, Milano. Ich glaube, Sie wären auf lange Sicht gut für sie gewesen. Ich glaube, es war ein Fehler von Kalos, Ihnen in die Quere zu kommen.«

Ich knurrte etwas Unverbindliches und schaute auf meine Uhr. Ich fragte: »Wann geht der Vorhang bei der Vorstellung hoch?« und sie antwortete: »Ziemlich früh. Und Sie sollten lieber mehr anziehen als diese Jacke. Es ist kalt draußen. Zumindest für Miami.«

Es war draußen kalt für überall, und ein starker anlandiger Wind machte es um so kälter. Obwohl der Himmel im Osten graute, war der Rest dunkel, die Sterne funkelten hell. Wir gingen im schwachen Schimmer von Zier-Gaslampen einen Plattenweg zwischen Rasenflächen entlang, um schattenhafte Blumenbeete herum, vorbei an einer Reihe von Tennisplätzen, und es war ein weiter Weg. Endhaltestelle war eine hölzerne Treppe, die zweieinhalb, drei Meter zum Strand hinabführte.

Maggie lehnte sich mit dem Rücken an das Treppengeländer.

»Balkonplätze«, sagte sie. Die See dünte stark, die Wellen brachen sich mit rhythmischem Dröhnen und Zischen am Strand. Maggie mußte die Stimme erheben, um sich darüber hinweg verständlich zu machen.

Der Himmel vor uns ließ jetzt Rosarot erkennen. Am Rand des Wassers, in gerader Linie mit der Treppe, befanden sich ein Bootshaus und ein L-förmiges Dock, in dem ein paar kleine Boote vor Anker lagen. Fünfzig Meter landwärts, auf der grasbewachsenen Anhöhe über dem Strand, stand ein schönes Ranch-Haus. Das mußte der leerstehende Bungalow B sein. Dahinter konnte ich sein Gegenstück sehen, Bungalow A, Domizil des guten Lehrers. Südlich davon standen die beiden anderen Bungalows, der nähere, wo Regisseur Lou Hoffman und Filmsternchen Holly Lee Otis einander Gesellschaft leisteten, der fernere, der die Rountrees beherbergte. Häuschen in Quists verzaubertem Garten, wären sie am Nordufer von Long Island Hunderttausend-Dollar-Heime gewesen.

Der Himmel rötete sich. Aus den Gebäuden im Süden erschienen zwei Paare und bewegten sich in unserer Richtung. Die Rountrees waren beide beleibt und eher klein, Hoffman nebst Freundin hochgewachsen und schlank. Alle waren gegen das Wetter vermummt, alle sahen elend aus. Sie kamen der Reihe nach daher, betrachteten mich unverhohlen und stiegen die Treppe zum Strand hinunter, wo sie einen Halbkreis bildeten. In sicherer Entfernung von den Wellen.

Maggie nickte über meine Schulter einen Gruß, und ich schaute um und sah, daß Quist und Sharon aufgetaucht waren. Quist saß im Rollstuhl, eine Decke über den Beinen. Sharon, die neben ihm stand, war in einen Nerz gehüllt. Für sie waren Nerze – ebenso wie Zobel – eine Möglichkeit, sich warmzuhalten. In Devon hatte sie im Zobel Gärtnerin gespielt – ungeschickt schnippelnd, jätend, grabend. Wie Maggie Riley, das Mädchen aus den Everglade-Sümpfen, hatte auch sie einen weiten Weg hinter sich. Aber als sie an jenem unfaßbaren Morgen plötzlich davongegangen war, hatte sie vergessen, den Zobel mitzunehmen.

Weiter oben am Weg tauchte ein großer Mann mit Lederjacke auf und bezog dort Posten. Das schwarze, tief in die Stirn hängende Haar, der Mandarin-Schnurrbart, die kantigen Züge addierten sich zu einer augenblicklich erkennbaren Maske. Michael Calderon, Superstar. Noch bankfähiger als Sharon, wenn es darauf ankam.

Sharon tätschelte den Arm ihres Mannes, dann ging sie, ohne sich anmerken zu lassen, daß sie uns erkannte, an Maggie und mir vorbei die Treppe hinunter. Unten zog sie die Sandalen aus und gesellte sich zu dem Halbkreis am Strand.

Ich schob meinen Mund nah an Maggies Ohr.

»Tauchen sie alle so jeden Morgen und Abend auf?«

Sie schüttelte den Kopf.

»Andrew kaum jemals. Sid Kightlinger überhaupt nicht. Und wir sollten nicht reden. Da kommt Kalos.«

Ich sah ihm zu, als er zum Strand hinunterstieg. Gegen Kälte anscheinend unempfindlich, trug er die denkbar kürzeste Version aller Schwimmhosen. Mittlere Größe. Kompakter Körper. Eine Mähne von schneeweißem Haar. Den Unterlagen nach wird er bald gut in den Sechzigern sein. Vom Hals aufwärts sah man es ihm an. Vom Hals abwärts hätte er für zwanzig Jahre weniger durchgehen können.

Er blieb an der Wattgrenze stehen und blickte nach Osten, während das Wasser über seine Knöchel schäumte. Ein Sonnensplitter ragte über den Horizont, wurde größer. Daskalos drehte sich herum, um uns zu trösten. Er hob die Arme hoch über den Kopf. »Betet an diese Wiedergeburt! Betet an das Licht, das sie bringt! Betet an das Leben, das sie bringt!« Eine tiefe, befehlende Stimme, wenngleich Windböen ihr etwas Schwankendes verliehen.

Den Kopf zurückgelegt, ließ er die Arme weit gespreizt sinken, machte sich zu einem lebenden Kreuz. Die Sonne fuhr fort, aufzugehen, wie das ihre Art ist, und er behielt diese Haltung bei; es war eine, die brutale Kraft erforderte. Knochenknackend.

Die Wellen dröhnten und zischten. Ein Schwarm Möwen tauchte auf, senkte sich über das Wasser, ließ sich auf dem Ufer nieder. Eine Bö wehte Maggies Haare über mein Gesicht. Sie packte die Strähnen, um sie festzuhalten, und deutete mit dem Mund das Wort ›Verzeihung‹ an. Calderon trat in mein Gesichtsfeld. Er stand jetzt auf der obersten Treppenstufe und beobachtete die Szene unter sich mit lidstarrer Faszination, während die Fäuste neben seinem Körper sich langsam öffneten und schlossen.

Als die Sonne den Horizont hinter sich ließ, wurde Daskalos wieder lebendig.

»Ich bin geschickt, euch auf den Weg zu führen. Betretet ihn – haltet euch an ihn – und findet Frieden.« Er breitete die Arme segnend aus. »Frieden.«

Das war es.

Als ich mich umschaute, war Calderon verschwunden. Die beiden Paare aus dem Halbkreis stiegen die Treppe hinauf, auf dem Heimweg. Sharon rutschte mit ihren Sandalen aus und folgte ihnen. Sie kam zu Maggie und mir herüber. Wenn der schöne Lehrer ihr Frieden gebracht hatte, war das ihrem Gesicht nicht abzulesen. Sie sagte zu mir: »Sprechen Sie mit ihm, Johnny? Ich glaube, darauf wartet er.«

Er wartete offenkundig auf etwas, dort am Rand des Wassers, in unsere Richtung blickend. Maggie murmelte mir zu: »Hut festhalten, Freund, das wird eine wilde Fahrt.« Sie hakte sich bei Sharon unter, und die beiden gingen auf Quist in seinem Rollstuhl zu. Ich stieg zur untersten Stufe hinunter und entschied mich dagegen, meine Schuhe in diesen Sand zu setzen. Daskalos bemerkte es und kam auf mich zu. Auf seiner Höhe war es noch windiger als auf meiner. Ich klappte meinen Kragen gegen die Böen hoch und schob meine Hände in die Taschen, um sie zu wärmen. Und um anzudeuten, daß ich zum Händeschütteln nicht aufgelegt war.

Daskalos bot mir die Hand nicht an. Er sagte mit einem freundlichen Kopfnicken: »John Milano.«

Und ich sagte: »Walter Kondracki.«

»Der war ich«, reagierte er ungerührt. »Und in dieser Form ein Lügner, Dieb und Schwindler. Und in dieser Form lange tot.«

»Tut mir leid, daß ich zum Gedenkgottesdienst nicht kommen konnte. Außerdem heißt es, daß Sie bald für einen neuen Tod vorgesehen sind. Sie wissen, daß ich hier bin, um das zu verhindern. Wenn möglich.«

Er tat die Möglichkeit mit leichter Hand ab.

»Nichts kann ihn verhindern. Wir müssen viele Tode sterben. Aber jeder Tod bedeutet nur die Freigabe des Geistes für neues Fleisch. Und das neue Fleisch, belebt von diesem Geist, kann den Weg um so schneller voranschreiten.«

»Wunderschön«, sagte ich. »Aber gleichgültig, was für süße Musik Sie auf Ihrer Sitara spielen, Lehrer, es werden keine Engel ausgeschickt, Sie fortzuholen. Diese Aufgabe scheint ein anderer im Sinn zu haben.«

»Ein Diener des Engelhaften«, sagte Daskalos.

»Oder der Geist Walter Kondrackis«, sagte ich, »der aus rätselhaften Gründen sein Spielchen treibt.«

»Nein, das könnte er nicht sein.« Er sah mich an, ganz Mitgefühl. »Haben Sie wirklich solche Angst vor dem Sterben, John Milano, daß Sie nicht begreifen können, daß ich ihn nicht fürchte? Oder ihn sogar begrüße?«

»Hören Sie«, sagte ich, »ich bin bereit, Sie mit jedem Alias anzureden, das Sie sich aussuchen. Ich bin auch, da ich dafür bezahlt werde, bereit, zu versuchen, Sie dem hiesigen Leichenschauhaus fernzuhalten. Darüber hinaus, Verehrter, sollen Sie begreifen, daß ich auf Ihre Ware nicht scharf bin. Wenn Sie das können, wird das Leben für uns beide viel einfacher.«

»Wirklich? Aber warum sagen Sie, daß Sie mich als Daskalos ansprechen wollen, und mich doch als Kondracki anzusprechen scheinen?«

Dem Rezept gehorchend, zählte ich bis zehn, bevor ich antwortete. Dann sagte ich: »Sie Saukerl, erwarten Sie wirklich, daß ich vergesse, wer damals zwei Wochen lang täglich in der Fernleitung nach England war? Und was daraus geworden ist?«

»Sharon hat diese Anrufe geführt, John Milano. Sie war im Begriff, den Weg zu betreten, und sah, daß das Arrangement mit Ihnen sie beschmutzt. Daß Sie ein Hindernis auf ihrem Weg hätten werden können. Jedes solche Arrangement außerhalb der Ehe ist eine Besudelung.«

»Verstehe. Und ihre Eheschließung mit Quist war ein Akt der Reinigung. Was haben Sie übrigens dafür kassiert, den Cupido zu spielen, Daskalos?«

»Ein Gefühl der Richtigkeit«, sagte er unbeirrt. »Nicht mehr.«

»Dabei müssen Sie bleiben, solange Sie können«, meinte ich. »Wenn Sie in der Zwischenzeit nicht selbst Drohbriefe an sich geschickt haben, rate ich Ihnen, Ihren zweiten Lendenschurz einzupacken und schnell von hier zu verschwinden. Sie verstehen, daß ich Ihnen das in meiner beruflichen Eigenschaft rate. In jeder anderen wäre ich begeistert, einfach dabeizustehen und mir anzusehen, was passiert.«

»Mein Tod muß eintreten. Ich begrüße ihn. Glauben Sie mir das.«

»Wir sprechen von Tod durch Gewalt, Daskalos.«

»Ja. Und Tod durch Gewalt ist stets das Ende für den Auserwählten. Ein notwendiges Opfer.«

»Damit ich das richtig sehe«, sagte ich. »Der Auserwählte sind Sie?«

»Bin ich. Und wenn mein sterblicher Körper durch eine Tat der Gewalt zerstört wird, wie es sein muß, tritt mein unsterblicher Geist in einen anderen ein und wird erfrischt von neuem der göttliche Führer zum Weg.« Er lächelte mich friedvoll an. »Jesus Christus hat Zeugnis dafür gegeben, John Milano. Er war eine meiner Manifestationen.«

Der Wind schnitt mir durch Jacke und Pullover. Sand stach mir ins Gesicht. Ich tröstete mich mit dem Gedanken, daß das hier noch immer nicht so kalt war wie Ecke Broad und Wall, und daß der glatte Kerl, dem ich gegenüberstand, im Gegensatz zu Hennig, dem habgierigen Hehler, keine Waffe bei sich führte.

Genug war genug.

Ich sagte: »Es ist immer nett, jemanden von der Heiligen Familie kennenzulernen, Daskalos. Aber um zur Sache zu kommen: Gibt es hier jemanden, der einen besonderen Grund haben könnte, Sie umbringen zu wollen?«

»Bitte.« Eine Spur von Ungeduld. »Selbst wenn ich denjenigen benennen könnte, der geschickt ist, mein jetziges Leben zu beenden, glauben Sie wirklich, daß ich das tun würde? Um seine notwendige Mission zum Scheitern zu bringen?«

Damit verließ er mich. Und wenn man bedachte, daß es dieselbe Masche war, die er Quist ursprünglich präsentiert hatte, als er sich das erste Mal gedrängt sah, das Weite zu suchen, blieb mir das faszinierende Bild der Konfrontation zwischen den beiden. Vor allem jener Augenblick, als Quist erfuhr, sein jetzt unwillkommener Gast sei in Wahrheit die neueste Manifestation unseres Herrn auf Erden.

* * *

Innerhalb des Eingangs zum Haupthaus stand ein Tisch, der eine alte, silberne Punschschüssel trug. In der Schüssel befand sich ein großer Packen Post, den Araujo mit dem Daumen Stück für Stück durchblätterte. Er erklärte mir, daß weitere Briefe an Mr. Daskalos auftauchen könnten, nicht wahr? Und so zuwider es ihm auch sei, sich mit Privatangelegenheiten anderer Leute zu befassen, halte er es für klug, das Aussehen jedes Umschlags zu prüfen, sobald die Morgenzustellung erfolgt sei. Sehr bedauerlich, aber nicht zu ändern.

Er machte einen weiten Umweg, um mir das zu erklären, aber ich litt nicht an Langeweile, weil am Lift auf der anderen Seite der Halle von Sharon und Calderon eine kleine Szene vorgeführt wurde. Er, ihren Pelzmantel über seinem Arm, redete eindringlich auf sie ein. Sie hatte in einer Weise, die von einem anständig gesonnenen Beobachter als Kamaraderie angesehen werden mochte, seinen freien Arm beiläufig an ihre Hüfte gezogen. Sie schien es nicht wahrzunehmen. Da so viel Boden gewonnen war, ließ er die Hand sinken und tätschelte unverhohlen ihr Gesäß. Sie riß sich scharf los, er warf verächtlich den Mantel vor ihre Füße, trat in den Aufzug und schwebte empor, außer Sichtweite.

Schnitt und kopieren.

Araujo, der andernfalls sonst davon vielleicht auch unterhalten worden wäre, steckte tief in der Punschschüssel. Ich verabschiedete mich höflich und schlenderte hinüber zu Sharon, als sie den Mantel aufhob.

»Das haben Sie gesehen, nicht?« sagte sie. Sie wirkte eher verletzt als zornig.

Ich sagte, ja, das hätte ich gesehen.

»Virgilio auch?« Die Möglichkeit schien ihr Sorgen zu machen.

Ich sagte, nein, ich glaubte nicht, daß er das gesehen hätte. Ich drückte auf den Liftknopf, und der Zeiger über der Tür glitt langsam von II zu I.

»Ich höre, Sie haben vor, einen Film mit Calderon zu machen«, sagte ich.

»Das steht noch nicht fest, Johnny.«

»Aber macht es Ihnen, sobald es feststeht, nichts aus, daß der Weiberheld überall an Ihnen herumtappt, während der Film gedreht wird? Das haben Sie doch schon einmal durchgemacht.«

Sie sagte abwehrend: »Aber zwischen uns ist nichts geschehen. Und bei den Dreharbeiten unterstützt er einen sehr. Das brauche ich.«

Unterstützt hatte er sie. Ich hatte sie unterstützt. Quist und Maggie unterstützten sie. Warum auch nicht? Sooft einer ihrer Filme in die Kinos gekommen war, setzten ein paar Millionen Menschen – eingeschlossen Beilmörder, Gebrauchtwagenverkäufer und Politiker – sich ins Dunkle, und sobald sie ihnen dieses Gesicht zuwandte, diese Lippen öffnete und heiser ihre ersten Zeilen sprach, unterstützten sie sie auf der Stelle, und zwar mit Leidenschaft. Wer waren wir, um immun zu sein?

»Was haben Sie mit Calderon hier überhaupt gemacht?« fragte ich. »Wohnen Sie nicht drüben im anderen Gebäude?«

»Ich wollte zu Ihnen hinauffahren und dort auf Sie warten. Ich muß mit Ihnen reden.«

»Wir reden.«

»Nicht hier«, sagte Sharon. »Bitte.« Es war die Art von Bitte, die den Beilmördern, Gebrauchtwagenverkäufern und Politikern auf der Stelle den Verstand raubte.

Mein Wohnzimmer war voll Rauch. Im Kamin war ein rasch ersticktes Feuer gemacht worden – Zeitungsbündel, ein paar Stücke Spanholz, darüber ein Scheit –, aber die Zugklappe war geschlossen. Ich öffnete sie, riß Fenster auf, um salzige Windstöße hereinzulassen, während Sharon, ein Taschentuch vor dem Gesicht, erklärte, sie hätte dem Jungen befohlen, in den bewohnten Appartements Feuer zu machen, aber er sei, wie der ganze Rest des derzeitigen Personals, nur Ersatz. Sie nehme an, daß er von offenen Kaminen nicht viel verstehe.

»Pablo«, sagte ich, als wir zum Schlafzimmer gingen, in dem die Luft zu atmen war. »Bildhübsch?«

»Die Namen kenne ich nicht. Die neuen, meine ich. Aber hübsch war er.« Sie setzte sich auf die Kante des frischgemachten Bettes, den Mantel über den Schultern, während ich von sandiger auf frische Kleidung umstieg. »Ich muß mit dir zuerst über Kalos reden«, sagte sie. »Du bist ihm jetzt begegnet. Was hältst du von ihm?«

»Ich habe dir schon vor langer Zeit gesagt, was ich von ihm halte. Daran hat sich nichts geändert.«

»Doch, es hat sich etwas geändert, Johnny. Ich wohl.«

Damit traf sie mich, während ich mein Hemd aufknöpfte. Der Knopf blieb mir in den Fingern.

»Verändert – wie?«

»Was den Weg betrifft.« Sie ballte die Fäuste und preßte sie so zusammen, daß die Knöchel weiß hervortraten. »Ich weiß nicht, ob ich noch daran glauben kann. Jedenfalls ist das jetzt nichts mehr für mich.«

»Draußen am Strand hast du aber ganz nach einer echten Gläubigen ausgesehen.«

»Ich *fühle* mich aber nicht wie eine. Wenn ich mich an den Weg halte, soll ich angeblich glücklich sein. Doch ich bin es nicht.«

»Gibt es bei dir und Andrew ein Sexleben?«

»Ja, natürlich. Das ist es nicht. Es liegt nicht an Andrew. Und nicht an Kalos. Es liegt an mir.« Sie beugte sich zu mir vor und sagte langsam und mit Nachdruck: »Ich versuche, mich an den Weg zu halten, aber ich bin nicht glücklich.«

»Wer ist das schon?« fragte ich rhetorisch, aber eine Antwort hatte sie schon parat.

»Als wir in England zusammen waren – nachdem du Frankie Kurtz ausgeschaltet hattest – bin ich es gewesen. Und du auch.«

»Sharon, das ist drei lange Jahre her.«

»Ich habe dir vorigen Sommer darüber geschrieben, und das ist keine drei langen Jahre her. Und du hast den Brief zurückgeschickt, ohne ihn zu öffnen. Ich habe dir Weihnachten geschrieben, und du hast auch diesen Brief zurückgeschickt. Warum hast du die Briefe nicht gelesen, Johnny?«

»Das brauchte ich nicht zu tun, um zu wissen, was sie enthielten.« Ich bemerkte, daß ich den Hemdknopf in der Hand hielt. Ich warf ihn auf die Kommode, zog das Hemd aus. Ganz klar, im Kragen war Sand. Ich beschäftigte mich damit, ein frisches Hemd anzuziehen.

Sharon beobachtete mich dabei, dann sagte sie: »Du konntest nicht alles wissen, was in ihnen stand. Nicht das Wichtige.«

»Nämlich?«

»Nun, daß ich nach New York kommen und dich sehen wollte. Und wenn alles gutging, wollte ich nicht einmal mehr hierher zurückkommen.«

»Es wäre nicht gutgegangen.«

»Warum nicht?«

»Weil es diesmal nicht um einen zuhälterischen Zehnprozentler wie Frankie Kurtz geht. Es geht zufällig um einen hochgeachteten, dir offenbar sehr zugetanen Ehemann. Du hast ihn schon gemein behandelt durch den Zwang, mich mit seinem Geld hierher zu locken. Aber ich bin wenigstens geschäftlich hier. Also bleiben wir beim Geschäft.«

»Johnny –«

»Nein. Rein geschäftlich. Wie hast du beispielsweise zu diesem Hund Rufus gestanden? Hast du ihn ehrlich liebgehabt? Konntest du ihn nicht ertragen? War er dir gleichgültig?«

Sie sah mich verwirrt an.

»Was hat er damit zu tun?«

»Überleg es dir. Du bist diejenige gewesen, welche die blutigen Überreste gefunden hat. Also was war es, das dich zu diesem Zeitpunkt in Quists Büro geführt hat? Als niemand dort war?«

Sie brauchte ein paar Augenblicke, bis sie mitkam. Dann sagte sie ungläubig: »Glaubst du etwa, ich hätte den Hund umgebracht? Ich hätte diese Briefe geschrieben?«

»Nein. Aber es ließe sich gewiß begründen.«

»Begründen? Was begründen?«

»Denk einmal nach«, sagte ich. »Du bist die einzige am Tatort gewesen, ungefähr zu der Zeit, als es passierte. Schreibmaschine und Papier und übrigens auch das Tranchiermesser standen dir mühelos zur Verfügung. Was das Motiv betrifft, so hat Daskalos seine Klauen in dir, und du hast eben zugegeben, daß du versuchst, dich loszureißen.«

»Nein, das habe ich nicht getan. Nicht auf diese Weise. Und was meinst du mit ›er hat seine Klauen in mir‹?«

»Du erzählst ihm alles, nicht? Das hast du immer getan. Jede intime Einzelheit deines Lebens. Ist es nicht so?«

»Doch, aber –«

»Kein aber. Früher oder später mußtest du einsehen, daß du ihn an dieselbe günstige Stelle verpflanzt hast, wo früher Frankie Kurtz saß. Daß er dich bis zur Bewußtlosigkeit erpressen konnte.«

Sie sagte hitzig: »Er ist ein Priester, genau wie der in deiner Kirche. Läuft dein Priester herum und erpreßt die Leute, weil sie ihm alles erzählen?«

»Das ist ein interessanter Vergleich«, sagte ich. »Trotzdem: Wenn irgendein hartgesottener Bulle alles zusammenaddiert, was hier vorgeht, wird er bei dir die Brauen ganz schön hochziehen.«

»Das spielt keine Rolle, solange *du* weißt, daß ich nichts damit zu tun habe. Und das weißt du.«

»Ja. Das ist der Grund, warum ich jemanden verdächtige, der dich für diese plumpen Schlußfolgerungen aufgebaut haben könnte.«

Sie zog den Mantel enger um sich, als spüre sie plötzlich die Kälte.

»Wer sollte das tun wollen?«

»Wie wär's mit Maggie Riley?« fragte ich, und als vor Fassungslosigkeit ihre Zunge gelähmt zu sein schien, sagte ich: »Gesteh es dir ein: Sie hatte dieselben Gelegenheiten wie du, diese Horrortricks abzuziehen. Und sie hätte ein solides Motiv dafür, dich in ernsthafte Schwierigkeiten mit deinem Mann zu bringen.«

»Maggie? Welches Motiv denn?«

»Sie war die Dame des Hauses, bis du aufgetaucht bist. Und obwohl sie steif und fest behauptet, nie mit Quist herumgeschlafen, nie Interesse an den Aussichten gehabt zu haben, ist das überaus unsicher. Tatsache ist: Sie könnte dich zu einer öffentlichen Belastung für ihn machen, sie hätte jede Menge zu gewinnen und gar nichts zu verlieren.«

»O Mann«, sagte Sharon. »Johnny, hast du denn mit ihr nicht gesprochen? Weißt du denn gar nichts über sie?«

»Ich dachte es. Was weiß ich nicht?«

»Zu Anfang schon einmal, daß sie bereits verheiratet gewesen ist, als ich hierherkam.«

»Ich habe keinen Ehering gesehen.«

»Also gut«, sagte Sharon ungeduldig, »sie war nicht *verheiratet*-verheiratet. Aber sie lebte mit diesem Mann zusammen. Donnie Maxwell. Er lehrte Kunst, drüben an der Universität von Miami. Der netteste Mann, den du dir denken kannst. Und sie haben wirklich gut zusammengepaßt. Aber voriges Jahr, gerade um diese Zeit, starb er. Einfach so. Leberkrebs.«

»Sie hat nie etwas davon erwähnt.«

»Wovon hat sie geredet? Von ihrem Buch?«

»Nur davon, daß sie eines schreibt. Ich habe so ein Gefühl, daß die Einzelheiten kommen werden, sobald sie mich festnageln kann.«

»Und das wird sie«, sagte Sharon. »Das Buch ist wirklich ihr ein und alles. So hat es mit ihr und Donnie angefangen. Sie machte ihn mit dem Buch auch süchtig, und bis sie sich umsah, arbeiteten sie beide daran. Aber das ist nur ein Teil davon.«

»Wovon?«

»Sie geht nächsten Monat hier weg. Sie hat mir erzählt, daß sie ein Stiftungs-Stipendium beantragt hat – bei der Lucas-Stiftung oben in Boston –, und es sieht ganz danach aus, daß sie es auch bekommt. Damit sie das Buch fertigschreiben kann. Sie wird zwei oder drei Jahre in Europa damit zu tun haben. Mit Andrew herumzuschlafen ist also bestimmt nicht das, was ihr im Kopf herumgeht. Oder mich loszuwerden.«

»Vermutlich nicht.«

Sharon stand auf und kam zu mir herüber. Sie legte eine Hand auf meine Brust und sagte flehend: »Kalos steckt auch da nicht dahinter, Johnny. Diesen Hund zu töten, war grausam. Jene, die sich auf dem Weg befinden, können nicht grausam sein.«

»Dein Guru ist ein Absahner«, sagte ich. »Und Absahner müssen grausam sein, oder sie sind aus dem Geschäft. Was ich zugeben will, ist, daß ich kein Motiv für ihn, hier Ärger zu machen, finden kann. Er hat nichts zu gewinnen, nicht in bar, Kredit oder Papieren – und darauf zielt er ab, gleichgültig, wie du es siehst. Wir können ihn also zusammen mit Maggie als Kandidaten beiseite stellen.«

»Und mich«, sagte Sharon trocken.

»Und dich. Aber das mit der Sündenbock-Planung könnte nach wie vor gelten. Du bist aus irgendeinem Grund dazu gebracht worden, dieses Büro zu betreten, unmittelbar nachdem der Hund getötet wurde. Genauso lief es ja. Die erste am Schauplatz. Wenn dich nun ein Anruf hingeführt hätte, gleichgültig, von wem er kam –«

»Aber so war das nicht. Ich meine, kein Anruf.« Sie wirkte nervös und aufgeregt. »Ich ging hinein, um mit Andrew zu sprechen. Ich wußte nicht, daß er schon fort war.«

»Bist du da sicher? Der liebe Gott straft dich, wenn du jemanden deckst.«

»Tue ich nicht.« Sie versuchte es mit einem Lächeln. »Kein Anruf, tut mir leid.«

»Jetzt ist es zu spät zum Leidtun«, sagte ich.

* * *

Sie entfernte sich pflichtgemäß, um mit ihrem Mann in ihrer Wohnung zu frühstücken; ich fand meinen Weg in das Speisezimmer, das sich als genau von der richtigen Größe und Temperatur für ein Eishockeyspiel erwies. Es bot ein Büfett mit den üblichen Frühstücksdingen und einen langen Refektoriumstisch mit hochlehnigen, zu dick gepolsterten Sesseln, die gleich Thronen an ihn herangeschoben waren. In dieser Weite verloren sich zwei Paare, die einander am Tisch gegenübersaßen. Auf der einen Seite die kurzen, dicken Scott und Belle Rountree, Drehbuchschreiber und Gemahlin; auf der anderen die langen, skelettartigen Lou Hoffman und Holly Lee Otis, Filmregisseur und Betthase.

Hier war das Personal den Gästen gegenüber in der Mehrzahl. Alle Bediensteten waren männlichen Geschlechts, schienen aus Lateinamerika zu stammen und trugen den engen, grauen Cord mit roter Paspelierung, der dem geschmeidigen jungen Pablo so gut stand, aber den anderen wenig aufhalf. Zwei standen am Büfett, zwei befanden sich am Eßtisch, zwei hielten sich in größerer Entfernung und sprachen halblaut und hitzig miteinander. Wieder déjà vu. Es hätte Frühstückszeit im Restaurant des Central Park South-Hotels sein können, das ich mein Zuhause nenne.

Während am Tisch die Vorstellung stattfand, beobachtete ich, daß der angehende Drehbuchautor Scott Rountree nicht so sehr dick als stämmig war, mit einem platten Gesicht wie dem einer englischen Bulldogge; daß die rothaarige, scharfäugige Belle Rountree makellos für die Cocktailstunde hergerichtet war und trotzdem nicht verleugnen konnte, daß sie ihrem Mann durchaus einige Jahre voraushatte; daß der hagere, in mittleren Jahren anzusiedelnde Regisseur Hoffman in der Mitte seiner aufgeplusterten Haare eine große kahle Stelle und unter den Augen dunkle Tränensäcke aufwies; und daß Holly Lee Otis, ein Alice-im-Wunderland-Typ knapp über zwanzig, ein Mädchen war, das vermutlich in jeder Minute des Matchs über den Spielstand ganz genau Bescheid wußte.

Es war Holly Lee, den Mund mit Blätterteig vollgestopft, die auf den Sessel neben sich klopfte und mich einlud, an der Party teilzunehmen. Sie riet mir auch, mich bei der Frühstücksauswahl auf Cornflakes und Blätterteiggebäck zu beschränken, weil alles andere so mies sei, daß einen das Kotzen ankommen könne. Der Kaffee sei jedoch in Ordnung.

Am Büfett hielt ich mich an den Rat, und einer der Herumsteher brachte meine Bestellung an den Tisch und goß Kaffee für mich ein. Holly Lee benutzte diese Gelegenheit, ein weiteres Stück Blätterteiggebäck zu bestellen. Diesmal mit Kirsche.

»Menschenskind«, sagte die dicke Belle Rountree bitter.

Lou Hoffman sagte zu mir: »Sharon Quist hat erwähnt, Sie hätten vor einigen Jahren in London eine harte Sache für sie erledigt. Frankie Kurtz wegen Betrugs festgenagelt. Ihn ihr endgültig vom Hals geschafft.«

»So ungefähr«, sagte ich.

Es folgte ein langes, meditatives Schweigen. Ich aß meine Flocken, dann machte ich mich an das Blätterteiggebäck. Mit Käse. Die Außenseite war warm, der Käse im Inneren kalt. Tiefkühlkost.

Holly Lee sprach mich plötzlich an.

»Wir haben Sie bei Maggie Riley gesehen. Was hatte sie dazu zu sagen, wie es hier steht?«

»Nicht viel.«

»Es muß doch mehr gewesen sein«, sagte Holly Lee. »Was halten Sie überhaupt von der Frau?«

»Flott«, erwiderte ich.

»Ich meinte –«

»Und großartige Beine«, fügte ich hinzu. »Wunderbare Beine. Auch eine prima Haltung.«

»Ach, kommen Sie, Milano«, sagte Scott Rountree vernichtend. »Sie wissen, weshalb Sie hier sind. Wir wissen, weshalb Sie hier sind. Wie wäre es, wenn Sie zur Sache kämen?«

»Immer langsam«, warnte seine Frau. Sie betrachtete die Überreste des Blätterteiggebäcks auf Holly Lees Teller. »Scheiße«, sagte sie. Sie schnitt sich ein kleines Stück ab und schob es in den Mund. Es war eine Wiedergabe von Bette Davis und dem Stückchen Schokolade in ›Alles über Eva‹.

»Belle!« sagte Rountree.

»Vergiß es, Scottie. Mir ist kalt. Ich bin hungrig. Ich warte darauf, daß jemand einen Mord begeht. Mein Blutzucker ist schon hoch oben in den Millionen. Den Unterschied merkt er nicht einmal.«

Ich sah sie stirnrunzelnd an. »Glauben Sie wirklich, daß hier jemand vorhat, einen Mord zu begehen?«

»O ja. Ich habe genug Hundeblut fließen sehen, um zu wissen, daß irgendein Bekloppter unter uns ein echter Killer ist. Und unser Prophet Kalos verlangt danach. Zählen Sie alles zusammen, Freund.«

»Soll das heißen, Daskalos möchte umgebracht werden, damit er wieder auferweckt werden kann?« sagte ich. »Oder daß er sich über irgend jemanden hier so maßlos aufregt, daß ihn jemand sozusagen als Quittung dafür umbringt?«

»Und was für eine herrliche Quittung«, sagte Belle.

Holly Lee hatte plötzlich schmale Lippen und enge Augen. Lou Hoffman legte hastig seine Hand auf die ihre. Er sagte zu Belle: »Wie wär's mit ein bißchen Empfindsamkeit bei dem Thema? Vergessen Sie nicht, Sie befinden sich nur unter solchen, die nicht glauben, sondern auch unter jenen, die es tun. Und unter jenen, die noch suchen.«

»Ihre Prosa singt so richtig, Lou«, sagte Belle. »Das klingt beinahe so biblisch wie die Briefe, die der Prophet erhalten hat.«

Holly Lee schob ihren Sessel zurück, was nicht leicht war, wenn man seine Dimensionen bedachte. Sie stand auf und sah auf Belle hinunter. Sie sagte ganz langsam: »Sie sind ein kurzer, fetter Pferdearsch« und stöckelte hochmütig davon. Hoffman wirkte bedrückt und folgte ihr sofort. Die Herumsteher machten beim Abräumen Lärm.

Rountree zog eine Pfeife und ein paar Reiniger heraus und begann mit großer Konzentration eine Demontage- und Säuberungsaktion. Den Blick auf seine Arbeit gerichtet, sagte er zu Belle: »Lou hatte recht. Du warst im Unrecht.«

Belle lächelte mich schief an und senkte den Kopf in Richtung ihres Mannes.

»Ein Suchender«, teilte sie mir mit.

»Ein Beobachter«, sagte Rountree.

»Oh?« sagte Belle. Dann erklärte sie ihm im Singsang: »›Vergessen, daß dem, der zu nah beobachtet, die Nase abgebissen werden kann.‹« Sie nickte mir ernsthaft zu. »Anwesende natürlich ausgenommen.«

Ich lachte.

»Na, ich muß zugeben, daß meine Art von Arbeit... Jedenfalls gewinne ich den Eindruck, daß Miss Otis und Mr. Hoffman Gläubige sind.«

»Nicht Lou«, sagte Rountree. »Nicht mehr.«

»Aber so, wie er redet –«

»Nur wegen Holly Lee.« Rountree steckte die Pfeife wieder zusammen und blies hinein.

Belle erläuterte: »Lou ist einer der Gläubigen gewesen. Das heißt, bis zu dem Zeitpunkt, als Kalos ihm Holly Lee zuführte und er ihr in seinem letzten Film eine Rolle gab. Am Ende zog Lou bei Frau und Kindern aus und mit Holly zusammen.« Belle zuckte die Achseln. »Ein alternder Mann mehr, den das Syndrom ›Finde-deine-verlorene-Jugend‹ heimsucht.«

»Weshalb sollte irgend etwas davon ihn hindern, ein Gläubiger zu sein?« fragte ich, und Rountree antwortete: »Es handelt sich um einen Moralkodex. Um einen sehr starren. Hat Maggie Riley Ihnen davon irgend etwas erzählt?«

»Vom Weg? Das war Mrs. Quist.«

»Noch besser«, sagte Belle. »Sie ist Gründungsmitglied. Sie sollten also wissen, daß es dem Propheten zufolge kein Herumschäkern außerhalb der Ehe geben darf.«

Ich nickte nachdenklich.

»Ich fange an, Mr. Hoffmans Problem zu verstehen.«

»In gewisser Beziehung ist das wirklich gemeinste Komödie«, sagte Belle. »Kalos hat nur die Karriere von dem dummen Ding betrieben, das ist alles. Er wollte sie auf dieser Tangente gar nicht losfahren lassen. Da Lous Frau eine der ganz großen Gläubigen ist und sie vom Scheidungsunfug nichts wissen will. Was sie angeht, ist der liebe Knabe nur unter einem schlechten Zauber vom rechten Weg abgewichen, und sie wartet ab, bis er sich wieder fängt. Kalos unterstützt das. Lou meint, das gelte alles nicht, weil er kein Gläubiger mehr sei. Aber dafür sind es natürlich seine Frau und seine Freundin.«

»Ich komme schon wieder nicht mit«, meinte ich. »Sie sagen, Holly Lee sei eine Gläubige. Sie hält sich also an den Weg. Aber sie lebt mit Hoffman zusammen.«

»Getrennte Betten«, knurrte Rountree, so, als verstehe sich das von selbst.

»Nun« – Belle betrachtete ihre Fingernägel – »irgendwie habe ich das Gefühl, daß Holly Lee in der Sache nachgibt, wenn Lou anfängt, die Wände hochzugehen. Wer weiß? Vielleicht erhält sie nachher Absolution?«

Rountree meinte schwerfällig: »Wer den Weg verläßt, hat keine Absolution zu erwarten.«

»Ah, schau«, sagte Belle zu ihm, »das Mädel ist keine Sharon Bauer. Wenn sie es überhaupt schafft, dann um der Dinge willen, die Lou für sie tun kann. Und so spielt sie ihre Karten auch aus.«

Rountree sagte aufgebracht: »Und das macht sie als Gläubige nicht geringer. Du weißt, daß die meisten Anhänger von Kalos diese – dieses Bedürfnis nach materiellem Erfolg haben. Er ermutigt das. Er benutzt es dazu, Konvertiten zu einer in Wahrheit stark moralischen Lebensweise zu bringen. Es würde dir nicht weh tun, mindestens so viel zuzugeben.«

»M-hm«, sagte Belle. Dann wandte sie sich mir zu. »Vergessen Sie also nicht, Mr. Milano, daß Sie, wenn Sie die niedliche Miss Otis betrachten, eine der großen theologischen Schwanzneckerinnen der Welt vor sich haben.«

Rountree war wütend.

»Du kennst wirklich keine Grenze, wie?« Er stand auf und zerrte an ihrem Sessel. »Gehen wir. Es sind fast zwanzig Seiten Skript zu überarbeiten.«

Belle stand auf. Mit erzwungenem Humor sagte sie zu mir: »Ich bin nicht nur ein Nagel zu seinem Sarg, ich bin auch seine Tipperin und Aschenbecherputzerin. Wir sehen Sie gewiß.«

»Gewiß. Werden Kightlinger und Calderon hier zum Frühstück erscheinen?«

Sie schüttelte den Kopf. »Mr. K. frühstückt in seinem Appartement mit dem ›Wall Street Journal‹. Manchmal auch mit ›Daily Variety‹. Mr. Calderon wird gegen ein Uhr zu Lunch und Tennis aus dem Bett rollen.«

»Sie meinen, er steht zu diesen Morgenandachten auf und legt sich dann wieder ins Bett?« fragte ich.

Bell sagte in rügendem Ton: »Und Sie, ein Junge aus der Großstadt, haben ihn auf dem Herweg erwischt. Er klappert die Klubs in der Innenstadt jeden Abend ab, bis sie schließen. Wein, Weib, Gesang und Autogramme.«

»Dann werde ich ihn eben schnell zwischen den Auftritten abpassen müssen.«

»Früher oder später«, sagte Belle. »O ja. Wenn Sie es tun, gibt es eine Frage, die Sie ihm stellen könnten. Nein, zwei Fragen: Warum er so wild darauf war, diesen Film zu machen? Und warum er so gerne sähe, daß der Prophet Daskalos morgen um Mitternacht tot umfiele? Um es höflich auszudrücken.«

»Also gut«, sagte ich. »Warum?«

»Ihn müssen Sie fragen«, meinte Belle.

* * *

Am Eingang zum Nebenhaus gab es zwei zueinander passende Wachtposten, beide massig, dunkelhäutig und mit kalten Augen, Pistolen außen an ihre Uniformjacken geschnallt. Einer von ihnen führte mich durch eine riesenhafte Sporthalle und ein Labyrinth von Dampfbädern und Trockenräumen zu einem Schwimmbecken, in dem eine mittelgroße Jacht Platz gehabt hätte.

Quist schwamm nackt im Wasser, gebrauchte nur Arm- und Schulterkraft und zog die Beine nach. Ein Mann in der Badehose stand dabei und paßte auf. Quist entdeckte mich, hielt sich am Beckenrand fest und lud mich zum Mitschwimmen ein. Ich erhob milde Einwände und verlor. Als ich mich zu ein paar trägen Bahnen hin und her zu ihm gesellte, sagte er: »Wie wär's mit einem kleinen Rennen?«

»Ich fürchte, ein so guter Schwimmer bin ich nicht.«

»Dem Anschein nach lügen Sie. Hundert Dollar. Sie können einen Tauchstart voraushaben.«

»Sagen wir, einen Dollar, und wir starten gleich«, gab ich zurück.

»Abgemacht.« Dann sagte er, als läse er meine Gedanken: »Und Sie sollten lieber alles geben, John. Wenn Sie es nicht tun, merke ich es.«

Zuerst gab ich nicht alles. Dann schaute er über die Schulter nach hinten und schrie: »Los, Sie Saukerl!«, also tat ich es. Zu meinem Erstaunen schlug er mich um mehrere Längen, auf den Geraden mühelos aufholend, was ich bei den Wenden gewann. Er stemmte sich am Beckenrand ein, als er mich keuchend herankommen sah, und wirkte so triumphierend wie irgendein Halbwüchsiger, der je in einer Sporthalle einen siegreichen Home-Run geschafft hat. Er sagte: »Wie wär's mit einer Revanche?« und ich hatte gerade noch genug Luft, um das Angebot dankend abzulehnen.

Wir zogen uns in ein Dampfbad zurück. Der Wärter half Quist auf eine gekachelte Liege und schien froh zu sein, wieder davonzukommen. Er machte die Tür hinter sich zu. Im Dampf sitzend, eingehüllt in ein Badetuch, sah Quist mehr denn je wie ein römischer Senator aus. Ein Schweißtropfen lief an seiner Nase herab, und er schob die Unterlippe vor, um ihn wegzublasen. Er sagte: »Als Virgilio mir mitteilte, er garantiere kompetenten Ersatz für das regelmäßige Personal innerhalb weniger Tage, hätte mir klar sein müssen, daß er ›kompetent‹ im cubanischen Sinne des Wortes meinte. Andererseits können wir uns wenigstens auf absolutes Stillschweigen verlassen.«

»Was hat er getan? Seine Familie verpflichtet?« fragte ich, und Quist wirkte verblüfft.

»Hat er Ihnen das gesagt?«

»Nein. Das war als Witz gemeint.«

»So nah kann ein Witz der Wahrheit kommen«, meinte Quist belustigt. »Es gibt hier im Dienst vermutlich eine ganze Anzahl von Vettern und Kusinen, aber die meisten der Leute gehören einer Organisation an, die er leitet. ›Cuba Libertad‹. Eine cubanische Freiheitsbewegung.«

»Davon *hat* er mir erzählt. Ich muß zugeben, daß das alles

nicht gerade sehr realistisch klang.«

»Ist es auch nicht.« Über Quists kahlen Schädel liefen Rinnsale. Er bearbeitete ihn mit einem Handtuch von dem Stapel neben uns. »Die zweite Generation Emigranten sind keine Cubaner mehr – sondern Cubano-Amerikaner. Für sie sind Virgilio und seine Bewegung etwas aus dem Geschichtsbuch. Aber versuchen Sie nie, ihm das zu sagen. Er und sein harter Kern haben alte Rechnungen zu begleichen. Die meisten davon sind in der Schweinebucht dabeigewesen.«

»Araujo auch?«

»Dort verwundet und lange Zeit gefangengehalten. Sein Bruder ist dort getötet worden.«

»Keine Wunder, daß Rechnungen zu begleichen sind. Trotzdem, seine Vorstellung, eine Privatarmee aufzubauen, diesmal ohne CIA-Unterstützung, und die Dollarmillionen zu beschaffen, die nötig wären –«

»Ich weiß. Ein trauriger, alter Don Quichote. Aber mit den Millionen rechnet er nicht wirklich. Er würde sich morgen gerne mit, ach, sagen wir, fünfhunderttausend Dollar begnügen. Geld, das wächst, könnte man sagen.«

»Was gibt mir nur das Gefühl, es wären Sie gewesen, den er um diese fünfhunderttausend angehauen hat?« sagte ich.

»O ja, allerdings. Aber ich bin Geschäftsmann, John, ich würde vielleicht Sancho Pansa finanzieren, doch niemals Don Quichote.« Er hob warnend die Hand. »Kommen Sie nicht auf falsche Gedanken. In seiner Freizeit mag Virgilio seine Träume vom Ruhm haben. Im Dienst, als Spezialist für Sicherheit, ist er das Beste, was man finden kann.«

»Möglich. Aber bisher habe ich einen Mann im Dienst am Haupttor gesehen, zwei hier an der Tür, und das ist alles. Das würde ich ziemlich dünne Sicherheit nennen.«

»Weil Sie mit ihm die Runde noch nicht gemacht haben, wie?« sagte Quist, und als ich es zugab, fuhr er fort: »Dann konnten Sie nicht wissen, daß ein Mann im Bootshaus sitzt, der den Strand im Auge behält. Und der Bungalow neben dem von Daskalos ist nicht wirklich unbewohnt. Seit Samstag ist da immer jemand unsichtbar damit beschäftigt, genau aufzupassen.«

»Warum unsichtbar? Ich würde sagen, weithin sichtbare Sicherheit ist genau das, was unter diesen Umständen verlangt ist.«

Quist vergaß, wo er war, atmete ganz tief ein und sog sich die Lunge voll Dampf. Er hustete heftig, dann zuckte er zusammen.

»Verdammt. Wenn man hustet, geht das gleich bis in die Knöchel.« Er zeigte mit dem Finger. »Das ist ein Kaltwasserhahn. Ich könnte eine Spülung vertragen.«

Ich füllte den Plastikeimer unter dem Hahn und übergoß zuerst ihn, dann mich. Das Pulshämmern in meinen Schläfen ließ ein wenig nach. Quist ließ überhaupt nicht erkennen, daß ihn die Sache mitnahm.

»Sichtbare Sicherheit?« sagte er. »Vergessen Sie das.«

»Einfach so?«

»Daskalos will nicht vor demjenigen geschützt werden, welcher ihn bedroht. Am Samstag morgen stellte Virgilio einen Mann an seine Tür. Zehn Minuten später meldete sich der zurück. Nach seinen Angaben war Daskalos in rasender Wut herausgestürzt, hatte ihm erklärt, Gott werde ihn verfluchen, wenn er sich nicht entferne und wegbleibe. Eine höchst eindrucksvolle Darbietung. Vor allem für jemanden, der an diese Art von Gott glaubt.«

»Und da hatten Sie dann Ihr Gespräch mit Daskalos darüber, daß er das Weite suchen sollte?«

»Zuerst sprach Mrs. Quist mit ihm. Als sie nichts erreichte, bat sie mich, einzugreifen.« Quist ließ eine Hand auf die feuchten Kacheln klatschen. »Unfaßbar. Hier sei er, sagte er, und hier werde er bleiben. Und niemand solle seinem Mörder in den Weg treten, wer immer er auch sein möge.«

»Ich nehme an, er hat Ihnen dieselbe schlaue Wiedergeburtsmasche vorgetragen wie mir.«

»In großer Ausführlichkeit.«

»Glauben Sie, daß es ihm damit ernst ist?«

Quist legt den Kopf schief.

»Ja.« Es sah und hörte sich an wie eine Herausforderung.

»Aber Sie kennen seine Vergangenheit.«

»Vielleicht mehr als das. Ich lernte ihn kennen, als er vor einigen Jahren noch seine Astrologie-Tour betrieb. Corinthian Productions hatte damals eine ganz schlechte Zeit, jeder hätte sich den Laden unter den Nagel reißen können, und ich war der Meinung, das könnte ein guter Kauf sein. Ich befand mich an der Westküste und verhandelte zwei Wochen lang erfolglos, und zweimal tauchte Daskalos – damals noch Kondracki – bei häuslichen Festen auf, an denen ich teilnahm. Ein auffallend aussehender Mann, sehr gewandt, sehr charismatisch, und offensichtlich, jedenfalls für mich, von innen heraus falsch. Erstaunlich, wie diese Leute Kotau vor ihm machten.«

»Erstaunlich«, sagte ich bösartig.

Quists Lippen verzerrten sich zur Andeutung eines Lächelns.

»Ich weiß, was Sie meinen. Aber das war Kondracki.«

»Dann verwandelte er sich in Daskalos, und es geschah ein Wunder.«

»Was das betrifft –« erwiderte Quist. Damit verstummte er. Dann sagte er abrupt: »Das ist kein Themawechsel. Ich möchte, daß Sie einen Augenblick mit mir Geduld haben.«

»Gewiß.«

»Nun« – er schien nach Worten zu suchen – »als meine Frau vorschlug – empfahl –, daß ich Sie hierherrufen sollte, geschah das, weil Sie in London für sie eine gewisse Angelegenheit mit eindeutigem Erfolg bereinigt hatten. Was sie betonte, war, daß für Sie das Wort ›vertraulich‹ wirklich vertraulich bedeutet. Derb gesagt: Wenn Sie sich mit den ganz privaten Sorgen eines Klienten befassen, wissen Sie darüber den Mund zu halten.«

»Das gehört zur Anzahlung«, sagte ich.

Was immer er auch hatte erwidern wollen, wurde von einer schmerzhaften Grimasse abgeschnitten. Er verschob mühsam die Beine.

»Kann ich irgend etwas tun?« fragte ich.

»Nichts im Sinn einer Behandlung. Alles, was ich von Ihnen möchte, ist die Zusicherung, daß Sie, wenn Sie hier weggehen, unter keinen Umständen einen Zeitungs- oder Buchverleger aufsuchen. Was ich Ihnen bezahlt habe, glaube ich –«

»Versteht sich von selbst«, unterbrach ich ihn.

»Das hoffe ich. Denn, um zu erklären, warum ich sicher bin, daß Daskalos an seine seltsame Berufung wirklich glaubt, gehe ich das Risiko ein, Ihnen die Umstände im Rahmen meiner Ehe darzulegen. Ich befand mich bei einem Empfang, den einige Mitarbeiter zu meinen Ehren gaben. Unter den Gästen waren Filmstar Sharon Bauer und als ihr Begleiter für den Abend Daskalos. Das muß übrigens bald nach der Zeit gewesen sein, als Sie diese Sache für sie in London erledigt hatten.

Jedenfalls hatte ich ihre Filme gesehen und war ein sehr großer Bewunderer aus der Ferne. Nun benutzte ich die Gelegenheit und bat um Vorstellung. Sie kam herüber, stellte sich vor und schlug mir – zum Glück waren keine fremden Ohren so nah dabei – schlicht und direkt eine Eheschließung vor. Betrunken? Unter Drogeneinfluß? Das schien beides nicht der Fall zu sein. Es mußte sich also um eine Art von geschmacklosem Witz handeln, und so reagierte ich auch, bis sie mir mit der bezauberndsten Ernsthaftigkeit erklärte, nein, das sei kein Witz. Unsere Ehe sei von ihrem geistigen Führer Kalos Daskalos verfügt, und es wäre vielleicht das beste, wenn ich selbst mit ihm darüber spräche.« Quist wies an die gegenüberliegende Wand. »Das Ventil da ist die Dampfsteuerung. Wenn Sie es ein bißchen herunterdrehen, können wir mit der Druckentlastung anfangen. Die Hitze macht Ihnen doch nichts aus, oder?«

»Durchaus nicht«, log ich. Ich drehte das Ventil ein bißchen weiter herunter.

»Nun gut«, sagte Quist. »Ich habe damals nicht mit Daskalos gesprochen, nur mit diesem außerordentlich schönen und sehr merkwürdigen Mädchen. Und ich verbrachte den nächsten Nachmittag mit ihr, erfuhr dabei, daß sie ohne jeden Zweifel das argloseste Geschöpf auf Gottes Erdboden war. Wenn irgendeine Art von Verschwörung dahinterstand, gehörte sie ganz gewiß nicht dazu.

Aber an jenem Abend ließ ich es mir angelegen sein, Daskalos einen Besuch abzustatten. Vergessen Sie nicht, ich hatte ihn als Kondracki gekannt, als einen Astrologen, der in Beverly Hills lebte, einen Rolls steuerte, sich wie ein Truthahn kleidete. In Acapulco bewohnte er eine schäbige kleine Zweizimmerwohnung im Eingeborenenviertel – in einem der Zimmer war Sharon Bauer untergebracht, ob Sie es glauben oder nicht –, und alles deutete darauf hin, daß er eine Art armer Weiser war.

Ich brauche Ihnen nicht zu sagen, worüber wir im allgemeinen sprachen, John; Sie haben heute früh selbst einen Geschmack davon bekommen. Aber seine unmittelbare Sorge galt der Tatsache, daß die Wege seiner Schülerin und von mir sich genau an diesem Ort, genau zu dieser Zeit gekreuzt hatten, daß unsere Ehe vorausbestimmt war, daß wir, wenn wir sie jetzt eingingen, für den Rest unseres Lebens das Glück finden würden.«

»Also gingen Sie sie ein?«

»Offenkundig. Wollen Sie wissen, was mir im Kopf herumging, als ich überlegte, ob ich es wagen sollte? Erstens, daß wir stets das am meisten bedauern, was wir versäumt haben. Zweitens, daß ich es mir leisten konnte, wie immer es auch ausgehen mochte. Und wenn Sie es nicht schon selbst bemerkt haben, kann ich Ihnen sagen, daß es wirklich sehr gut gegangen ist.«

»Ich versuche immer noch, mich auf Daskalos einzuschießen«, sagte ich. »Er muß doch etwas dabei gewonnen haben, als er den Ehestifter spielte, oder?«

»Irgendeine Bezahlung?« Quist schüttelte den Kopf. »Überhaupt nichts. Er hat nie etwas gefordert. Ich habe nie etwas geboten.«

»Und Mrs. Quist?«

»Sie hat mir, um ganz offen zu sein, einmal diese Frage gestellt. Dabei ergab sich, daß wir beide nie etwas an Daskalos bezahlt hatten. Sie hatte Kondracki früher für seine astrologischen Tafeln sehr großzügig bezahlt. Daskalos aber hat sie nie einen Penny gegeben. Der Gedanke allein schien sie zu schockieren.«

»Irgendeine Einkommensquelle muß er haben«, meinte ich.

»Möglich, aber bedenken Sie, daß er nahezu nichts braucht. Er hat sich jetzt in San Francisco niedergelassen. Soviel ich weiß, stellt seine dortige Unterkunft keine Verbesserung gegenüber dem armseligen Loch dar, das ich in Acapulco besuchte.«

»Andererseits lebt er jetzt weit von San Francisco entfernt. Auf sehr vornehme Weise.«

»Gar nicht so vornehm«, erwiderte Quist. »Und nur, weil Mrs. Quist ihm diesen Besuch aufzwang. Sie möchte ihn gelegentlich nah bei sich haben. Schließlich betrachtet sie ihn als ihren Hausgeistlichen und engen Vertrauten.«

»Mit Ihrer Billigung?«

»Mit meiner Billigung?« Quist betrachtete mich mit verengten Augen. Offenbar befriedigt von dem, was er in meinem Gesicht las, sagte er: »Ich will es ganz unverblümt aussprechen, John: Meine Frau ist eine außerordentlich kindliche junge Dame. Sie ist zufällig auch eine lebendige Versuchung für jeden gewissenlosen gottverdammten Mann, der sie zu Gesicht bekommt. Es ist also ein großer Trost, zu wissen, daß sie rückhaltloses Vertrauen zu einem Geistlichen hat, der von seinen Anhängern altmodische Moral verlangt.« Er lächelte dünn. »Muß ich mich deutlicher ausdrücken?«

»Kaum. Weshalb wollte sie ihn jetzt hierhaben? Damit er ihr hilft, sich zu entschließen, zum Film zurückzukehren?«

»Nun, das Drehbuch, das man ihr angeboten hat, befaßt sich mit Inzest. Und am Ende wird niemand dafür bestraft, ihn ausgeübt zu haben. Bevor meine Frau einen Vertrag unterschreibt, wollte sie Daskalos' Urteil darüber hören.«

»Und das lautete?«

»Daß den Sündern ganz gewiß eine Strafe auferlegt werden muß. Daran arbeiten Kightlinger und Konsorten jetzt gerade. An einer Umarbeitung der Fabel, um diesem Erfordernis zu entsprechen.«

»Alles in allem scheint es also so zu sein, daß Daskalos hier so ziemlich allein das Sagen hat«, meinte ich, und Quist runzelte die Stirn.

»In welcher Beziehung?«

»Er entscheidet, ob der Film gemacht wird, und wie er gemacht wird«, sagte ich. »Er diktiert Araujo praktisch die Sicherheitsvorkehrungen. Vor allem macht er Sie dadurch, daß er trotz dieser Drohungen hierbleibt, für seine Sicherheit verantwortlich.

Das nenne ich ›das Sagen haben‹.«

Quist entgegnete steif: »Auf der anderen Seite dürfen Sie nicht vergessen, daß ein anderer da ist, der die Drohungen ausstößt. Ich will zugeben, wenn Mr. Daskalos abreisen würde –«

»Was er nicht tun kann, solange er behauptet, an die Drohungen zu glauben. Es würde bedeuten, seine Glaubwürdigkeit als Messias, den es juckt, ein Menschenopfer zu bringen, selbst zu zerstören. Lebt wohl, Gläubige. Zurück zu den Astrologietafeln auf dem Postweg.«

Quist kratzte sich zerstreut an der Brust, während er das abwog. Dann sagte er abrupt: »Nun, er kann nicht alles so haben, wie er will. Sie sollten ihm persönlich höchste Sicherheit unter allen Bedingungen bieten. Das ist das Mindestmaß. Ich wünsche, daß Sie morgen abend unmittelbar bei ihm bleiben, gleichgültig, wie sehr er sich dagegen sträubt.«

»Oder sich benimmt, als sträube er sich.«

Quist sagte müde: »Manchmal bin ich nicht sicher, ob wir von dem gleichen Menschen sprechen. Die beste Lösung wäre natürlich die, daß Sie den Unruhestifter herausfinden und die Sache im Privaten bereinigen. Vielleicht sollten Sie wissen lassen, daß ich als Antwort auf die Tötung des Hundes nichts plane. Was meine Beteiligung an dem Film angeht, so ist das die Entscheidung meiner Frau. Kurz gesagt, der Geist der Amnestie ist vorherrschend.«

»Wirklich vorherrschend?« sagte ich leutselig. »Oder komme ich mit dem Olivenzweig, während Sie mit dem Knüppel hinter dem Rücken folgen?«

Quist lachte in sich hinein.

»Mißtrauischer Kerl sind Sie, was?« sagte er, dann wurde heftig an die Tür geklopft. Sie ging ohne Aufforderung auf, und der Badewärter steckte den Kopf herein.

»Das Telefon«, sagte er. »Die Dame – Miss Riley – möchte, daß Mr. Milano bitte ganz schnell ins Büro kommt.«

Quist sagte sorgenvoll zu mir: »John.«

Und ich sagte: »Bin schon unterwegs.«

Und war es.

* * *

Maggie war allein und zeigte eine wutentbrannte Miene in ihrem Büro. Sie platzte heraus: »Sid Kightlinger –«, dann sah sie mich verwundert an. »Sie sind ja tropfnaß.«

»Und ich habe mir beim Anziehen das Hemd zerrissen und trage keine Socken. Geschenkt. Was ist mit Kightlinger?«

»Gehen Sie zuerst, und ziehen Sie sich um. Nein, ich hole Ihnen einen Bademantel von Andrew.« Sie war schon fast aus dem Zimmer, als mir einfiel, ihr nachzurufen: »Und etwas zu trinken! Notration!«

Sie kam mit einem dicken Frottémantel und einem Ballonschwenker halb voll Kognak zurück. Ich trank einen kräftigen Schluck und sagte, während ich den Mantel anzog: »Sie sollten lieber den Chef anrufen und ihm mitteilen, daß Sie noch ganz sind. Im Augenblick hat er da seine Zweifel.«

Sie führte das Gespräch, und als sie den Hörer auflegte, war sie auf dem Rückweg zu ihrer normalen Stimmung.

»Es war Sid Kightlinger«, sagte sie mit zusammengebissenen Zähnen. Sie wies anklagend auf die Schreibmaschine.

Ich sah die Schreibmaschine an.

»Was ist mit ihm?«

»Er hat diese Briefe geschrieben. Ich bin ganz sicher.«

»Was macht Sie so sicher?«

»Hören Sie, ich gehe zweimal jede Woche dienstlich ins Museum. Gewöhnlich bin ich um zwei Uhr zurück. Heute war ich mit meiner Arbeit schnell fertig und war vor ungefähr einer Viertelstunde wieder da.« Sie warf einen Blick auf ihre Uhr. »Richtig. Halb zwölf.«

»Bei der Art, wie Sie das erzählen, bin ich mit dem ganzen Krug Kognak fertig, bevor Sie es sind«, sagte ich. »Dann kann ich mir kein Wort mehr merken.«

»Also gut. Sid weiß von meinen Museumsfahrten, und wann ich gewöhnlich davon zurückkomme.«

»Und da er auf Ihre frühe Rückkehr nicht gefaßt war, ist er

diesmal in flagranti an dieser Schreibmaschine erwischt worden.«

»Woher wissen Sie das?«

»Es gab ja kaum eine andere Möglichkeit. Hat er nach Ihrem Wissen die Maschine jemals vorher benutzt?«

»Nein.«

»Sie haben ihn also auf frischer Tat ertappt. Was geschah dann?«

»Nun, er wirkte fassungslos – anders kann man es nicht ausdrücken – und dann sehr zornig. Das ist übrigens das Papier, das er benutzt hat. Mein Papier. Die Schublade steht noch offen. Und der Umschlag da muß derjenige gewesen sein, welchen er verwenden wollte.«

»Interessant«, sagte ich. »Er ist nie vorher hier gewesen, aber auszukennen scheint er sich auf jeden Fall sehr gut.«

»Er *ist* schon hier gewesen. Ich habe einmal einen Brief für ihn getippt. Was ich gesagt habe, war, ich hätte nie vorher erlebt, daß er die Maschine selbst benutzt hätte. Jedenfalls, bevor ich sehen konnte, was er tippte, riß er das Blatt aus der Maschine und begann es zu zerknüllen. Ich sagte: ›Haben Sie die Freundlichkeit, mir das zu zeigen.‹«

»Mit diesen Worten?«

»Mehr oder weniger. Und er stand auf und sagte: ›Haben Sie die Freundlichkeit, sich um Ihren eigenen Scheißdreck zu kümmern.‹ Da sah ich im Papierkorb ein Schreibband. Ich hatte die Bänder nicht gewechselt, also mußte er das gewesen sein. Was bedeutete, daß er ein frisches Farbband verwenden wollte, genau, wie es bei diesen Briefen geschehen ist. Also versuchte ich ihm das Blatt aus der Hand zu reißen. Und er schlug mich.«

»Er hat Sie wirklich geschlagen?«

»Mit der Hand ins Gesicht. Volle Pulle. Es hat verdammt weh getan.« Wie ein Kind, das Mitleid erheischt, zog sie von dem Wasserfall aus Haaren einen Teil beiseite, um den rötlichen Abdruck an ihrer Wange zu zeigen. Ich stellte auch fest, daß das samt Sommersprossen, Stupsnase und allem ein höchst erfreuliches Mädchen-von-nebenan-Gesicht war, das ich da aus nächster Nähe betrachtete.

»Er hat Sie also ins Gesicht geschlagen«, sagte ich. »Was dann?«

»Ich haute ihm auch eine. Mit Wucht. Er wird daran denken.«

Ich sagte bewundernd: »Das war gut«, und sie wartete auf mehr.

»Nun?« sagte sie schließlich.

»Nun was?«

»Was Sie mit ihm machen werden – das.«

»Wissen Sie, diese Art von witzigen Antworten hat dem Varieté das Genick gebrochen«, sagte ich. »Was genau erwarten Sie eigentlich, daß ich mit ihm mache?«

Maggie sagte aufgebracht: »Feststellen, was er geschrieben hat. Ihm die Frankie Kurtz-Behandlung zuteil werden lassen, wenn es sein muß.«

»Aber es hat keinerlei Gefahr bestanden, daß Frankie Kurtz mich verklagen würde. Es besteht dagegen jede Aussicht, daß Kightlinger es tun würde. Mich zusammen mit Ihnen und Quist. Und schon kommen alle die bösen Reporter, die Quist haßt. Richtig?«

»Ist es das?« sagte Maggie mit auffälligem Sarkasmus. »Und würde Ihnen das solche Sorgen machen, wenn es nicht Kalos wäre, der mit Mord bedroht wird?«

»Langsam, Tiger«, sagte ich. »Bleiben wir bei Kightlinger. Also, welchen Grund sollte er dafür haben, unser Rätselmann zu sein?«

»Der? Grund genug. Nach allem, was ich höre, hat er hintereinander zwei Pleiten gedreht und braucht jetzt dringend einen Erfolg. Und er glaubte einen zu haben, bis Kalos daherkam.«

»Das ist immerhin gut zu wissen, wenn ich mit ihm rede. Und jetzt brauche ich genaue Informationen darüber, was in Quists Büro geschehen ist, nachdem der Hund tot aufgefunden wurde. Sie haben mir erzählt, bald danach seien alle aufgetaucht, um sich das anzusehen. Sind Sie sicher, daß Kightlinger dabei war?«

Mit gefurchter Stirn dachte sie darüber nach.

»Ich kann mich ehrlich nicht erinnern.«

»Dann wollen wir uns den Tatort vor Augen führen. Das hilft vielleicht.«

In Quists Büro bat ich sie, sich dort hinzustellen, wo sie gestanden hatte, als die Leute eingetroffen waren, und sie trat hinter den Schreibtisch, ziemlich weit vom ausgebleichten Teil des Teppichs entfernt. Sie wies auf die Verfärbung.

»Andrew war dort. Und Holly Lee, Lou Hoffman und die Rountrees befanden sich dort auf der anderen Seite des Zimmers. Und Sharon und Mike Calderon standen dort an diesem Fenster.«

»Ganz gewiß Calderon?«

»Ja. Er hatte die Arme um Sharon gelegt und machte eine große Schau daraus, sie zu trösten. Ich gebe aber zu, daß sie in sehr schlechter Verfassung war.«

»Und Kightlinger? Erinnern Sie sich, ihn hier gesehen zu haben?«

Sie schüttelte den Kopf.

»Nein, tue ich nicht.«

»Dann wollen wir annehmen, daß er auch nicht da war. Noch eine Frage: Sie haben eine Blutlache rund um das Tier erwähnt. Waren von dem Blut die Möbel oder Wände bespritzt?«

Der Gedanke schien sie abzustoßen.

»Nein. Als ich das Personal holte, um saubermachen zu lassen, war dieser Teil des Teppichs das einzige, was gereinigt werden mußte. Worauf wollen Sie überhaupt hinaus?«

»Ich mache groß auf Detektiv. Wenn man irgendeinem großen, kräftigen Tier die Kehle durchschneidet, spricht vieles dafür, daß man das Zimmer voll Blut hat, bevor es aufhört, sich zu wehren, und stirbt. Es sei denn, es wäre vorher mit Beruhigungsmitteln stark gedämpft worden. Also deutet vieles darauf hin, daß Rufus vor dem Durchschneiden der Kehle schon halbtot war.«

Maggie sah mich stirnrunzelnd an.

»Ist das der Grund, warum Sie gestern abend nach Injektionsspritzen gefragt haben? Weil jemand bei Rufus eine benutzt haben könne?«

»Ja. Jetzt würde ich sagen, es hat ganz entschieden jemand eine benutzt. Das zerstört die Theorie, daß Kightlinger zur Leichenschau nicht erschien, weil er damit beschäftigt gewesen wäre, blutbefleckte Kleidung loszuwerden. Tatsächlich hätte er ein Dutzend gültiger Gründe haben können, nicht aufzutauchen. Wo befand sich übrigens Araujo zu der Zeit? Sie haben ihn unter den Anwesenden nicht aufgeführt.«

»Weil der Freitag sein Tag im Museum ist, wo er die Sicherheitsmaßnahmen für das Wochenende organisiert.« Sie deutete auf das Telefon am Schreibtisch. »Deshalb stand ich hier. Andrew wies mich an, ihn sofort anzurufen, als wir sahen, was geschehen war. Virgilio kam etwa zwanzig Minuten später hier an. Aber was haben Sie vor, gegen Sid zu unternehmen? Was mag er geschrieben haben? Das können Sie doch nicht einfach beiseite wischen, oder? Es hätte einer dieser Briefe sein können.«

»Es ist fast Mittag«, sagte ich. »Wann gibt es hier Mittagessen?«

Und Maggie erwiderte: »Büfett, von zwölf bis drei. Abendessen um acht. Irische Leinenservietten und Sakko ist vorgeschrieben.«

»Das Sakko habe ich, aber langsam gehen mir die Hemden aus. Außerdem möchte ich Kightlinger erwischen, bevor er zum Mittagessen herunterkommt. Falls er herunterkommt. Was macht übrigens die Wange? Kühlt sie ein bißchen ab?«

»Ein bißchen.«

Auf einen mutwilligen Impuls hin sagte ich: »Was ist, wenn ich anbiete, sie zu küssen, damit es besser wird?«

Sie wich tatsächlich einen ganzen Schritt zurück und schien in Panik zu geraten.

»Falsches Zimmer, Doktor«, sagte sie. »Falsche Patientin.«

Bis jetzt.

* * *

Dem vernünftigen alten Spruch folgend ›Spare in der Zeit, so hast du in der Not‹, nahm ich den Schwenker mit in meine Wohnung – es war noch genug übrig, um mir leicht über die nächsten sechsunddreißig Stunden hinwegzuhelfen – und machte mich von neuem bereit, unter die Leute zu gehen. Als ich jedoch an Kightlingers Tür klopfte, bekam ich keine Antwort, und als ich in die Wohnung schaute – bis hin zum penetranten Geruch nach Rauch in der Luft ein Duplikat der meinen –, war niemand zu Hause.

Ich kehrte in meine Unterkunft zurück, ging das Hesperiden-Telefonbuch durch und rief den Dienerservice an. Schließlich erschien der schöne Pablo. Er betrachtete das welke Hemd von gestern, dann das von diesem Morgen ohne Knopf, und versicherte mir, in längstens zwei Stunden würden beide wieder einsatzbereit sein. Sonst noch etwas?

»Nur eine Frage«, sagte ich. »Gibt es hier eine automatische Vermittlung für die Telefone, oder soll dort jemand sitzen?«

»Jemand soll die ganze Zeit dort sitzen.«

»Noch eine Frage: Wie borge oder miete ich ein Auto, wenn ich mir die Sehenswürdigkeiten ein wenig vornehmen will?«

»Die Garage versorgt Sie.« Pablo nahm den Hörer ab. »Mit Chauffeur oder ohne?«

»Ohne«, sagte ich, und Pablo meldete nach Abschluß des Gesprächs: »Es wird in fünf Minuten da sein. Wenn Sie zurückkommen, stellen Sie den Wagen vor der Garage ab. Nach dem Tor scharf rechts und einfach geradeaus. Man bringt Sie hierher zum Haus zurück.«

Er entfernte sich mit meinen Hemden und zehn Dollar steuerfrei, und ich sah mir die Karte von Miami und Umgebung genau an. Dann ging ich hinaus, um festzustellen, daß ›ohne‹ einen sparsamen kleinen Toyota bedeutete. Ich hielt am Haupttor zur Inspektion, bog auf der Old Cutler Road nach Süden ab, was mich zur U.S. 1 führte, wo ich nach Norden fuhr. Genau, wie die Karte angezeigt hatte, kam ich am Serpentarium vorbei, und genau, wie ich vermutet hatte, erreichte ich nicht weit dahinter ein Einkaufszentrum.

In einem Drugstore nebst Gemischtwarenhandel plus Imbißtheke gab es Telefonzellen. Shirley Glass kürzte meinen freundlichen Willkommensgruß ab, indem sie zufrieden bemerkte: »Der Wettermann hat heute früh gesagt, Sie hätten da unten eine richtig schlimme Kältewelle.« Sie schnalzte in falschem Mitleid mit der Zunge.

»Ich weiß nicht, woher die Burschen ihre Ideen nehmen«, sagte ich. »Es hat sechsundzwanzig Grad, und am Himmel ist kein Wölkchen zu sehen. Irgendwelche bedeutsamen Mitteilungen?«

»Ihre Schwester Angie, frisch und munter. Und dieser Elphinstone von der Versicherung. Ich habe ihn mit Willie verbunden.«

»Was hatte Mr. Elphinstone denn in seinem vornehmen Sinn?«

»Willi zufolge glaubt er, es gäbe irgendwo in seinem Büro eine undichte Stelle. Er möchte dort jemanden hineinsetzen, der sie aufspürt.«

»Ich dachte mir schon, daß er darauf kommen wird. Ich möchte jetzt, daß Sie etwas für mich tun. Höchster Vorrang. Im Fernsehen gibt es diese Film-Klatschtante. Ihr Zuträger – Sie wissen, wen ich meine – ist uns sehr verpflichtet.«

»McNulty. Owen McNulty.«

»Richtig. Telefonieren Sie mit ihm an der Westküste. Sagen Sie ihm, ich will alles, was er über irgendeinen Zusammenhang zwischen Michael Calderon und einem Menschen weiß, der sich Kalos Daskalos nennt. Auch bekannt als Walter Kondracki.« Ich buchstabierte ihr die Namen. »Und weihen Sie Willie da nicht ein, weil er sonst mit McNulty über den Preis streitet. Machen Sie das selbst.«

»Gemacht«, sagte Shirley. »Sagen Sie, das ist doch Mike Calderon vom Film? Ist er dort bei Ihnen?«

»Nicht allein bei mir. Passen Sie gut auf. Ich brauche diese Information, falls überhaupt vorhanden, bis heute nachmittag fünf Uhr. Da rufe ich Sie an.«

»Okay. Und um zum Interessanten zu kommen, wie geht es der göttlichen Mrs. Quist?«

»Sie liegt hier bei mir im Bett«, sagte ich. »Wollen Sie Guten Tag zu ihr sagen?«

Und Shirley sagte, nachdem sie rasch gezählt hatte: »Sie glauben, ich glaube, Sie machen Witze, Johnny, aber ich bin mir da nicht so sicher.« Damit legte sie auf.

Ich ging zur Imbißtheke und nahm kartonartiges Fleisch, durchweichten Toast und ein Ohr voll Gerede unglücklicher Einheimischer über das Wetter zu mir. Dann drehte ich um, fuhr zum Serpentarium und verbrachte dort einige Zeit, machte die Runde durch die Reptilienwelt und sah schließlich dem Aufseher zu, wie er einigen nervösen Schlangen Gift abzapfte.

Auf dem Heimweg fiel mir ein, daß er und ich viel mehr gemeinsam hatten, als irgend jemand auf den ersten Blick hin ahnen mochte.

* * *

Wie erbeten, brachte ich den Wagen zur Garage zurück, und angesichts der Dimensionen von allem anderen hier am Ende der Fahnenstange war es keine Überraschung, festzustellen, daß die Garage einen Häuserblock lang war, zweistöckig, aus Naturstein, in der Lage, zwei Dutzend Autos aufzunehmen.

Araujo stand davor, den Klemmblock in der Hand, und vergatterte einige Männer in Uniform. Ich übergab das Auto einem Mechaniker und ging zu Araujo hinüber. Er stellte mich seinem Stellvertreter vor, nahm sich nicht die Mühe, mich mit den anderen bekannt zu machen, dann steuerte er mich, eine Hand zwischen meinen Schulterblättern, auf das Gebäude zu.

»Ich habe darauf gewartet, Sie herumzuführen«, sagte er. Außer Hörweite der anderen vertraute er mir an: »Ich habe eben mit dem Chef gesprochen. Sie scheinen mit der Sicherheit hier nicht ganz glücklich gewesen zu sein.«

»Nun, da könnte es sich um ein vorschnelles Urteil handeln.«

»Mr. Quist war nicht der Meinung.« Araujo nahm das mit erstaunlich guter Laune auf. »Es ist Ihnen gelungen, ihn davon zu überzeugen, daß wir bei unserer Sicherheit unterbemannt sind. Bis jetzt hatte ich das nicht geschafft.«

Als ich fragte, warum nicht, streckte er eine Hand aus und rieb bedeutungsvoll Daumen und Zeigefinger aneinander.

»Nennen Sie es Wirtschaftlichkeit. Aber jetzt werden wir es so machen, wie es sich gehört, eingeschlossen Streifengänge rund um die Uhr. Und ab nächste Woche Fernsehüberwachung.«

Er führte mich eine schmale Treppe hinauf, um mir seinen Befehlsraum zu zeigen, ein kleines Zimmer mit einem Mann an einem Schreibtisch, auf dem zwei Telefone und ein Funksprechgerät standen. An der Wand hing ein großer Plan des Geländes mit Gitterunterteilung, daneben eine Großaufnahme von Maggies Grundrissen des Haupthauses. Der Rest der Zimmer über der Garage, sagte Araujo, in diese Richtung zeigend, seien Schlafzimmer, sechzehn an der Zahl. Zwei für die Chauffeure der Familie, der Rest für die Fahrer von Besuchern.

»Wir laden manchmal in großem Stil ein«, erklärte er mir. »Vorige Weihnachten waren achtzig Gäste hier.«

»Schön wirtschaftlich«, meinte ich.

Er zeigte mir ein Goldzahnlächeln.

»Und Champagner und Kaviar lastwagenweise. Aber wehe« – er hob die Augen zum Himmel – »wenn hernach auch nur ein Löffel fehlte. Ein lausiges Handtuch. Ist Ihnen zufällig klargeworden, daß in Ihrer Wohnung keine Bilder hängen?«

»Allerdings.«

»Die Folge der Weihnachtsfeierlichkeiten. Früher hingen in jedem Zimmer Reproduktionen von Kunstwerken. Zeug aus dem Kaufhaus. Dann nahm irgendein Gast aus Jux – was sind die Dinger schließlich schon wert? – eines davon mit, als er abfuhr. Schmuggelte es hinaus. In der Woche darauf ließ Mr. Quist sämtliche Bilder in den Gästeräumen abnehmen und einlagern.

Der großzügigste Gastgeber, verstehen Sie. Aber er will deutlich machen, daß er die Gastfreundschaft bietet und man sich nicht selbst bedient.«

»Was geschah mit dem Gast, der das Bild mitgenommen hatte?« fragte ich.

Araujo antwortete kurz und bündig: »Der nächste Kandidat für den Verschiß.«

Wir gingen hinunter, und er verschwand in der Garage, um mit einem Golfwagen herauszufahren. Damit begannen wir eine rasche Besichtigungsrunde in Richtung Süden. Unser erster Halt war ein Dienstgebäude, das in erster Linie Wartungs- und Reparaturwerkstätten enthielt. Der rückwärtige Teil war mit einer Maschendraht-Trennwand abgesperrt. Hinter der Trennwand erkannte ich einen ziemlich großen Stromgenerator. Gewöhnlich sehr gute Stromversorgung in dieser Gegend, versicherte mir Araujo, aber der Hilfsgenerator werde ständig einsatzbereit gehalten. Ein junger Mann saß hinter der Trennwand, die Uniformjacke hatte er über eine Stuhllehne gehängt. Als Araujo ihn anfunkelte, zog der junge Mann die Jacke hastig an.

Wir bestiegen wieder den Golfwagen, folgten der südlichen Mauer um das Gelände, fuhren vorbei an einem leeren Schwimmbecken, das umgeben war von Badehäuschen, und hielten Kurs bis zur grasbewachsenen Anhöhe über dem Strand, wo die Mauer aufhörte. Hier bogen wir nach Norden ab, und fuhren vorbei am Bungalow der Rountrees und am Haus von Hoffman/Holly Lee. Auf den Tennisplätzen nahebei spielten Holly Lee und Calderon Kindertennis gegen Scott Rontree und Lou Hoffman. Die Schöne und das Untier gegen Pat und Patachon.

Araujo war von dem Anblick fasziniert.

»Interessant. Über das Wochenende gehen sie sich aus dem Weg. Überaus mißtrauisch, könnte man sagen, seitdem der Hund umgebracht wurde. Und hier sind sie und kommen wieder zusammen.«

»Ausgenommen Kightlinger«, sagte ich, und Araujo erwiderte: »Das ist wahr. Haben Sie ihn kennengelernt?«

»Bis jetzt noch nicht.«

»Ich möchte gern wissen, was daraus wird, wenn es dazukommt. Diese Geschichte da, daß er Miss Rileys Schreibmaschine benutzt hat. Und seine heftige Reaktion, als er erwischt wurde. Ich mißtraue allen vier Männern, aber ihm noch ein wenig mehr als den anderen.«

»Ich sehe, Sie sind immer noch galant, was die Damen anbelangt.«

Araujo grübelte.

»Nun, ich habe mich mit Ihrer Idee befaßt, daß eine von ihnen beteiligt sein könnte. Ich glaube, Mrs. Rountrees Charakter könnte in die Richtung gehen. Ich bin sicher, das Mädchen kommt nicht in Frage.«

»Irgendeine natürliche Voreingenommenheit hier?«

»Weil sie jung und hübsch ist?« Araujo grinste. »Versteht sich von selbst. Aber ganz im Ernst, sie hängt so an Mr. Daskalos, daß es schwerfällt, sich vorzustellen, sie könnte ihm in irgendeiner Weise weh tun wollen.«

»Vielleicht, um ihn zu prüfen? Um zu sehen, ob er wirklich liefern kann, sobald er tot ist.«

»Sie machen Witze«, sagte Araujo vorsichtig.

»Ich weiß nicht. Wir haben es hier teilweise mit sonderbaren Leuten zu tun.«

Er fuhr langsamer, als wir an Daskalos' Bungalow vorbeikamen, und betrachtete ihn düster.

»Das Herz unseres kleinen Problems.«

»Hat Mr. Quist Ihnen meine Analyse des Problems mitgeteilt?«

»Ja. Und hinzugefügt, daß Sie, wenn Sie den Übeltäter nicht im voraus dingfest machen können, morgen abend Mr. Daskalos' Kindermädchen spielen sollen. Haben Sie übrigens eine Schußwaffe bei sich?«

»Ich halte nicht viel von Schußwaffen. Ich begnüge mich mit der Rolle des Kindermädchens.«

»So?« Er warf mir einen boshaften Blick zu. »Und ich dachte, Sie wären ganz für weithin sichtbare Sicherheit.«

»*Touché.*«

»Ach was.« Er stieß mir freundschaftlich den Ellenbogen in die Rippen. »Wenn Sie es sich anders überlegen, statte ich Sie mit etwas Passendem aus. Das ist jedenfalls das Leichtere.«

»Und was ist das Schwere?«

»Dort« – er wies mit dem Daumen auf das Gebäude – »das Kindermädchen zu spielen, ohne daß der Herr einen Anfall bekommt. Kein Problem, wenn er der Schwindler ist, für den Sie ihn halten. Ein sehr großes, wenn er der Fanatiker ist, den ich in ihm sehe.«

»Und wenn ich den Übeltäter im voraus dingfest mache«, sagte ich, »werden wir nie erfahren, wer von uns beiden recht hat, nicht wahr?«

* * *

Wieder in meiner fensterlosen Unterkunft, senkte ich den Kognakpegel des Ballonschwenkers erneut um einen halben Zentimeter. Dann machte ich mich auf den Weg durch den Flur, um noch einmal nach Kightlinger zu sehen. Auf halbem Weg zu ihm traf mich eine Eingebung. Ich kehrte in meine Räume zurück und verlangte eine Verbindung mit Maggie. Nach einigem Hin und Her des warmherzigen Wesens in der Vermittlung wurde ich mit ihr verbunden. Ich sagte: »Wenn Sie nicht in Ihrem Büro sind, wo sind Sie?«

»In dem von Andrew. Bei ihm. Was gibt es? Haben Sie mit Sid Kightlinger gesprochen?«

»Bis jetzt noch nicht. Haben Sie seither diese Schreibmaschine benutzt?«

»Nein.«

»Dann bin ich sofort in Ihrem Büro. Kommen Sie auch. Wenn der Chef dabeisein will, soll er.«

Sie warteten schon beide, als ich ankam. Ich sagte ohne Vorrede: »Wenn Kightlinger mit seiner Schreiberei noch nicht sehr weit gekommen war, bevor er unterbrochen wurde, besteht die Aussicht, daß wir feststellen können, was er geschrieben hat, ohne das Blatt auch nur zu sehen.«

Quist begriff sofort.

»Das Farbband«, sagte er, und Maggie sah zuerst ihn, dann mich an.

»Ich verstehe nicht.«

Ich erklärte es ihr.

»Ein frisches Schreibband kann zeigen, was darauf getippt worden ist, bevor es umspult. Danach überschreibt man das schon Getippte und macht es unleserlich. Also, sehen wir uns das an.« Ich setzte mich an die Maschine, nahm das Band heraus und entrollte es auf Armlänge. Ich sah es mir genau an. »Gute und schlechte Nachrichten. Die gute ist die, daß es leserlich ist. Die schlechte Nachricht besagt, daß es sich keineswegs um eine Todesdrohung handelt.« Ich nickte Maggie zu. »Ich lese es Ihnen vor. Nehmen Sie Bleistift und Papier und schreiben Sie mit.«

17. Januar

*Dr. Jack Newstone*
*Medical Arts Group Building*
*Denver, Col.*

*Lieber Jack,*
*Ihr Scheck über die $2000 ist eben eingetroffen. In Bestätigung unseres Telefongesprächs dient dieser Brief als bindende Vereinbarung, daß Ihre 2000 Ihnen 5% meines Produzentenanteils von ›Zwei plus eins‹ einbringen. Ich schicke Ihnen den formellen Vertrag, sobald ich wieder im Büro bin. Ich bin Ihnen sehr dankbar, Jack. Was den Grund angeht, warum ich nicht einfach zu Quist gehen und ihn um Geld für Auslagen bitten kann, so gibt es*

Maggie wartete mit angesetztem Bleistift.

»Ist es das?«

»Das ist es«, sagte ich.

Quists Gesicht war der Betrachtung wert.

»Der heuchlerische Mistkerl. Dabei arbeitet er mit Kleingeld.« Er wirkte nicht einmal ungehalten.

»Jetzt haben wir beide einen Hebel«, sagte ich zu ihm. Ich spulte das Band auf und steckte es in die Tasche. »Aber es muß sich von selbst verstehen, daß vorerst weder Sie noch Miss Riley irgend etwas davon wissen. Nur ich.«

Quist nickte und zwinkerte mir zu.

»Natürlich ist das Ihr eigenes kleines Geheimnis. Vorerst.«

Maggie sagte: »Ich begreife immer noch nicht. Was für ein Hebel? Wenn das gar kein Brief an Daskalos ist –«

Ich unterbrach sie.

»Atmen Sie tief ein und hören Sie zu: Von Mr. Quists Standpunkt aus, wenn jemand dir einen Anteil an einem Millionendollar-Geschäft verkaufen will und du plötzlich entdeckst, daß er nur mit den Nerven und ohne Bargeld arbeitet, hast du ihn nach dem schönen alten Ausdruck bei den Eiern. Von meinem Standpunkt aus, wenn ich Kightlinger einen Beweis dafür vorlege, daß er nur mit den Nerven und ohne Bargeld arbeitet – und ihn wissen lasse, ich halte nur still, wenn er bei mir auspackt –, nun, da können Sie sehen, wo ich ihn habe.«

Sie konnte es. Und ihrer Miene nach genoß sie den Gedanken. Sie sagte: »Sie haben wirklich einen gemeinen Zug, nicht?«

Und ich sagte: »Genau wie Ihr Freund Sid. Jetzt will ich ihn ihm vorführen.«

»Ich würde Ihnen Glück wünschen«, sagte Quist, »nur habe ich noch nie einen Spieler mit einem Royal Flush in der Hand gesehen, der das gebraucht hätte.«

Im Flur sagte Maggie zu mir: »Aber der Brief weist doch noch viel stärker auf Sid hin, oder? Wenn er so pleite ist und Kalos dem Film im Weg steht, hat er ein gewaltiges Motiv, ihn loszuwerden. Und Sie scheinen auf ein Motiv enormen Wert zu legen.«

»Allerdings. Außer dort, wo der Verdächtige beweisbar geisteskrank ist. Aber es gibt hier immer noch ein paar andere Motive, die zu erforschen sind, bevor wir Sid die Handschellen anlegen. Vergessen Sie nicht, eine falsche Vermutung gibt dem wahren Unhold freie Bahn.«

»Mag sein.« Sie berührte die geprellte Wange mit der Hand. »Und selbst wenn Sid nicht derjenige ist«, sagte sie freundlich, »kann ich sehen, was jetzt geschehen wird, wenn er sich hinsetzt, um mit Andrew über die Verträge zu sprechen.«

»Während Sie dabeistehen, die Peitsche in der Hand. Verraten Sie mir etwas. Betreibt Quist seinen Millionendollar-Konzern wirklich hier von seinem Büro aus? Meine Vorstellung davon, wie ein Konzern betrieben wird –«

»Ihre Vorstellung trifft vermutlich zu. Andrew ist immer noch gut für den Posten des Aufsichtsratsvorsitzenden, aber mit Quist hat er schon seit einigen Jahren nicht mehr viel zu tun. Nicht mehr, seitdem die Schmerzen so stark eingesetzt haben. Er hatte das Gefühl, wichtige Entscheidungen, die unter Schmerzen oder selbst unter dem Einfluß leichter Mittel getroffen werden, könnten leicht die falschen sein. So ein Mensch ist er.«

»Diese Filmgeschichte wäre also eine Art Steckenpferd für ihn.«

Maggie schüttelte den Kopf.

»Nicht, wenn Sharon ihm den Startschuß dazu gibt. Dann wird es ganz ernst Geschäft. Sharon ist ein Steckenpferd. Und wie Sie es sonst immer nennen wollen. Rund um die Uhr.«

»Wo ist sie übrigens jetzt? Ich habe sie seit dem Morgen nicht mehr gesehen.«

»Ich habe schon gerätselt, wann Sie das wohl fragen«, gab Maggie zurück. »Sie macht sich vermutlich auch Gedanken. Sie ist in ihrem Schlafzimmer und hat angeblich Kopfschmerzen. In Wirklichkeit weint sie.«

»Hat es das in letzterer Zeit öfter gegeben?«

»Ja«, sagte Maggie. Sie sah mich unbeirrt an.

»Ist Quist sich darüber im klaren?«

»Nein.«

Die Stille zwischen uns begann mir in den Ohren zu klingen.

»Tja«, sagte ich, »wir haben alle unsere Schwierigkeiten, nicht? Und jetzt will ich sehen, wieviel ich zu denen von Sid Kightlinger beitragen kann.«

* * *

Diesmal war Kightlinger anwesend, ganz Gucci und Pucci und Hemd mit Monogramm. Mitte der Vierzig, zur Dicklichkeit neigend und mit der Super-Haarfrisur eines Fernseh-Nachrichtensprechers. Als ich mich vorstellte, sagte er: »Der Hausbulle, ich weiß«, blieb unter der Tür stehen und versperrte mir den Weg.

Ich meinte, in der Privatsphäre seiner Wohnung gehe das wohl besser, und er erwiderte: »Wir können unser Geschäft gleich hier erledigen. Sie fragen mich, ob ich der Knallkopf bin, der es Daskalos besorgen will, und ich sage nein. Damit ist der Fall erledigt. Adieu.« Er wollte mir die Tür vor der Nase zuklappen.

»Wonach ich eigentlich fragen wollte, das ist ein Jack Newstone«, sagte ich. »Doktor Jack Newstone. Aus Denver in Colorado.«

»Dieses Miststück!« entfuhr es Kightlinger. Dann schaute er, wie von seiner eigenen Heftigkeit erschreckt, verstohlen den leeren Flur hinauf und hinunter. Er winkte mich herein und schloß die Tür hinter sich. Aus seinem zornroten Gesicht wurde vor meinen Augen ein verwirrtes rotes. »Aber sie hat den Brief doch gar nicht gesehen. Wie konnte sie –?«

»*Sie* hat nicht. *Ich* bin derjenige.« Ich zog das Farbband heraus und entrollte es ein Stück. Ich hielt es zur Demonstration hoch. »Ein nagelneues Klatschweib von Farbband. Soll ich vorlesen?«

»Bemühen Sie sich nicht.« Er schätzte mich vorsichtig ab. »Weiß sie davon? Oder Quist?«

»Noch nicht«, sagte ich, und er wirkte ein wenig erleichtert, war aber immer noch auf der Hut. »Was hat Sie eigentlich veranlaßt, das Farbband zu wechseln?« fragte ich.

»Warum, zum Teufel, sollte ich das nicht tun? Das andere war ganz ausgelaugt, als ich es ausprobierte. War ja überhaupt nichts dahinter, außer, daß das Weibsbild Gestapo spielte. Ich hätte ihr gesagt, daß ich die Maschine benutze, sobald ich sie das nächstemal getroffen hätte.«

»Sie haben ganz schön zugeschlagen, wenn man bedenkt, daß nichts dahinter war.«

»Weil sie wie eine Wildkatze auf mich losging. Was sollte ich tun? Im Zimmer herumlaufen und mich von ihr jagen lassen? Und sie hat mir auch eine ganz ordentliche verpaßt.« Er fuhr in schmerzlicher Erinnerung mit den Fingerspitzen an seinem Unterkiefer entlang. »Ich glaube, sie hat bei mir ein paar Kronen gelockert.«

»An Ihrer Stelle würde ich die Quist nicht in Rechnung stellen. Es ist besser, wenn Sie fünf Prozent von sich an den Zahnarzt verkaufen.« Ich setzte mich auf das Sofa und streckte die Beine, um zu zeigen, daß ich zu freundschaftlichem Geplauder aufgelegt war. »Wieviel vom Produzentenanteil haben Sie schon an den Mann gebracht?«

»Was, zum Teufel, geht Sie das an?«

»Nun ja, nehmen wir einmal an, ich setzte es mir in den Kopf, daß Sie, weil Sie finanziell mit dem Rücken an der Wand stehen und Daskalos sie dort noch unerbittlicher festnagelt, alles tun würden, um ihn loszuwerden?«

»Quatsch.«

»In diesem Fall erweise ich Ihnen die Gefälligkeit, Quist mitzuteilen, daß Sie seinen Lieblingshund nicht umgebracht haben. Daß der Brief, bei dessen Niederschrift Sie erwischt wurden, nur den Dank an einen lieben Freund für ein Taschengeld enthielt, das Sie brauchten, um die große Fassade aufrechtzuerhalten. Das würde Quist gefallen. Welchem Macher behagt es schließlich nicht, den Gegenspieler in die Knie gehen zu sehen, wenn es an der Zeit ist, über Verträge zu verhandeln?«

Kightlinger ließ sich schwerfällig niedersinken. Er fuhr mit den Händen die Oberschenkel hinauf und hinunter, während er angestrengt nachdachte. Dann sagte er: »Und was möchten Sie?

Einen kleinen Anteil von mir, nur damit Sie den Mund halten?«

»Ich bin verlockt, aber nein, danke. Ist es das, was zwischen Ihnen und Daskalos läuft? Sie haben ihm einen kleinen Anteil von sich angeboten, wenn er den Filmvertrag gutheißt, und er verlangt mehr?«

Kightlinger sagte müde: »Er verlangt nicht mehr. Er hat mich rundweg abgewiesen.«

»Er spielt den Unnahbaren?«

»Das glaube ich nicht. Er wies mich einfach ab, das ist alles. Ich glaube, er ist so verrückt, wie er aussieht.« Kightlinger hob warnend die Hand. »Was nicht bedeutet, daß ich dumm genug wäre, ihn umbringen zu wollen.«

»Nun, irgend jemand hier scheint es zu sein. Irgendeine Vorstellung davon, wer?«

»Vielleicht, vielleicht auch nicht.« Er nagte an einem Niednagel. »Hören Sie, ich weiß Bescheid über Sie. Als die Bauer sagte, Sie würden hierherkommen, ließ sie auch verlauten, daß Sie der Mann wären, der Frankie Kurtz für sie erledigt hat. Sie wissen ja. Nachdem sie sich von ihm abgeseilt hatte, er aber nicht loslassen wollte. Ich sprach also am Rohr mit Ted Freitag von Corinthian und fragte danach. Er sagte, das stimme, Sie wären derjenige. Und Sie seien sehr hartgesotten, aber, soviel er wisse, völlig ehrlich.«

»Ein zufriedener Kunde ist unsere beste Werbung«, sagte ich.

»Die Komik können wir uns schenken. Freitag hat mir noch etwas erzählt, das strikt unter uns bleibt. Daß es Daskalos war, der die Bauer unter Druck gesetzt hatte, Frankie Kurtz loszuwerden. Wußten Sie das?«

»Nein. Aber was hat das mit Drohungen gegenüber Daskalos zu tun?«

»Weil Frankie Kurtz es nämlich weiß. Und er ist im Augenblick nur zwanzig Minuten von hier entfernt. In Miami Beach.«

»Zu Besuch?«

Kightlinger sagte befriedigt: »Seit über einem Jahr schon fest niedergelassen. Zinswucherei, wie man hört.«

»Von wem hört?«

»Von irgendwelchen Leuten der hiesigen Filmgewerkschaft, mit der ich zu tun habe. Aber er ist hier und nur zwanzig Minuten entfernt. Denken Sie mal drüber nach.«

Ich tat es.

»Nee, paßt nicht.«

»Warum nicht? Wer hätte einen besseren Grund als Frankie, Daskalos zerschnitzeln zu wollen? Wissen Sie, was es ihn gekostet hat, als die Bauer ihn abhängte?«

»Trotzdem muß es etwas Internes sein.«

Kightlinger sagte ungeduldig: »Dann hat er sich eben einen von diesen Vögeln gekeilt, die hier arbeiten. Er betreibt Lohnwucher, ja? Es gibt verschiedene Möglichkeiten, einen Zinshai abzubezahlen, nicht nur mit barem Geld. Zum Beispiel, indem man ihm einen riesengroßen Gefallen tut.«

»Sprechen Sie aus Erfahrung?« fragte ich, und Kightlinger sah mich grollend an.

»Was soll das? Sie geben einfach keine Ruhe, bis Sie mich zum Sündenbock gemacht haben?«

»Nun, drücken wir es so aus: Maggie Riley wäre sehr glücklich, wenn ich Sie zum Südenbock machen würde.«

»Oho! Sie meinen, Sie haben einen Harten für Miss Sommersprosse. Und nur, weil ich ihr serviert habe, was ihr schon lange zustand –«

Ich stand auf.

»Es war nett, Sie kennenzulernen«, sagte ich, als ich zur Tür ging, und Kightlinger sprach auch, beinahe leidenschaftlich zur Versöhnung entschlossen.

»Herrgott noch mal, Milano, wie wär's, wenn Sie sich abregen und vernünftig werden würden? Sie wollen, daß ich es ausspreche, also gut, ich spreche es aus. Es tut mir leid, daß ich ihr eine verpaßt habe. Aber ich stehe direkt am Rande des Abgrunds. Wenn Sie meine Lage verstehen könnten –«

Ich ließ mir Zeit, bis ich wieder saß.

»Alles, was Sie tun müssen, ist, mir davon zu erzählen.«

»Wenn ich glauben kann, daß es bis hierher geht und nicht weiter.«

»So wahr ich hier sitze«, sagte ich. »Sie können anfangen, indem Sie mir erzählen, wie Sie darauf gekommen sind, Sharon Bauer für eine Rolle in Ihrem Film vorzusehen. Ich meine, mit dem Wissen, daß sie sich angeblich aus dem Filmgeschäft zurückgezogen hatte. War das *Ihr* Geistesblitz, oder hat *sie* Signale gegeben?«

»Weder noch. Nicht direkt. Hören Sie, lassen Sie es mich in einem Stück darlegen, damit Sie das ganze Bild erhalten.«

»Ohne Ausschmückung.«

Kightlinger hob beschwichtigend beide Hände.

»Ganz schlicht und offen. Was passiert ist, war, daß ich vor zwei Jahren auf dieses Buch ›Zwei plus eins‹ stieß und sehen konnte, daß das Möglichkeiten in sich barg. Verstehen Sie etwas vom Produktionsgeschäft?«

»Ich habe Aufträge für einige von Freitags Problemkindern erledigt. Meistens waren es die mit dem Etikett ›Selbstzerstörung‹. Weiter nichts.«

»Dann muß ich erklären, daß man, wenn sie zu einem kleinen Unabhängigen wie mir kommt, bei heißer Ware nicht mit den Großen konkurrieren kann. Man begnügt sich mit dem, was verfügbar ist, und es stellte sich heraus, daß dieses Buch es war. Ich schloß also mit Rountree für die Rechte auf sein Buch und eine Drehbuchfassung ab. Für das erste Mal hat er das mit der Drehbuchfassung gut hingekriegt. Nicht perfekt, aber gut. Ich bin also im Geschäft. Was nun gebraucht wird, ist Finanzierung und Verleih – eine Vertriebsgarantie, verstehen Sie –, aber als ich zu den großen Studios ging, wiesen die mich alle ab.«

»Das Inzestproblem?«

»Nee, um Inzest geht es jetzt. Was ich anbot, war einfach ein Film mit Menschen, und heutzutage werden nur Großspektakel gedreht. Gehen Sie mit einer soliden Geschichte von Menschen zu einem großen Studio – von lebendigen Menschen wohlgemerkt –, reichen Sie ein Budget über zwei Millionen ein, und die sterben vor Lachen. Erzähl ihnen, daß du eine Story hast, wie das Empire State Buildung auf den Central Park kippt, alle Löwen im Zoo kommen frei, laufen in der Stadt herum und bringen

Leute um, und sie fragen dich, ob du mit zwanzig Millionen zufrieden bist. Dreißig Millionen. Soviel du willst.«

»Es würde nicht im Central Park landen«, sagte ich.

»Was?«

»Das Empire State steht in der Vierunddreißigsten Straße. Wenn es umfiele, würde es nicht bis zum Central Park reichen. Der Park liegt an der Sechzigsten.«

»Ach, Herrgott noch mal, Sie wissen, was ich meine. Haben Sie übrigens zufällig Rountrees Buch gelesen?«

»Nein.«

»Es lohnt sich. Da ist dieses Geschwisterpaar. Er ist ganz unverklemmt animalisch. Sie ist sehr sinnlich, wohlgemerkt, aber unschuldig. In ihrer Jugend knistert es dauernd zwischen ihnen. Dann heiratet er ein ganz junges Mädchen, das verrückt ist nach ihm, eine Art Duplikat seiner Schwester. Aber es hat keinen Zweck. Er und die Schwester werden voneinander angezogen wie zwei Nerze, die einander erschnuppern. Dann treten an einem Wochenende Umstände ein –«

»Schenken wir uns die Umstände.«

»Also gut, die Geschwister landen miteinander im Bett. Das löst eine Affäre aus, die sie unaufhörlich bekämpfen, aber immer wieder erfolglos. Die junge Ehefrau spürt, daß da etwas nicht stimmt, kann aber ihrem eigenen Argwohn nicht trauen. Als es zur Entscheidung kommt, ist das zuviel für sie. Sie bringt sich um. Und der Schluß ist ihr Begräbnis, Bruder und Schwester gemeinsam an ihrem Grab, während der Dreck hineingeschaufelt wird. Und was sehen wir in Nahaufnahme? Er versucht, den Arm um sie zu legen, sie wehrt sich, er obsiegt. Und, Baby, wenn sie sich an ihn lehnt, sieht jedermann ganz deutlich, daß sie jetzt genau das haben, was sie von Anfang an in Wirklichkeit haben wollten.« Kightlingers Augen glitzerten vor Begeisterung. »Na, was sagen Sie dazu?«

»Nicht schlecht. Nur hat, nach allem, was ich höre, Daskalos entschieden, daß Ihre Sünder eben nicht für immer glücklich miteinander leben dürfen. Was große Änderungen im Drehbuch verlangt. Habe ich falsch gehört?«

Kightlinger erwiderte bitter: »Nein, Sie haben nicht falsch gehört. Dieser beschissene Daskalos ist eine Krankheit.«

»Was empfindet Rountree bei dem Gedanken, solche Änderungen vornehmen zu müssen?«

»Nun, er steht eher auf Daskalos' Art, also verhält er sich klug. Es ist seine großmäulige Frau, die den Ärger macht.«

»Sie ist sein künstlerisches Gewissen?«

»Wie Sie es auch nennen wollen. Jedenfalls sollte sie inzwischen wissen, daß, wenn es nicht Freitag und die Corinthian sind, es niemand ist.«

»Wie kam es überhaupt dazu, daß es dieser Freitag wurde?«

Kightlinger lächelte beinahe.

»Sie möchten nicht glauben, was da passiert ist. Beim erstenmal lehnte er die Story rundweg ab. Aber ich hatte so ein Gefühl, daß sie ihn irgendwie gepackt hatte. Ich beharkte ihn also immer wieder, bis er schlagartig sagte – vielleicht sollte das auch nur ein Witz sein, aber egal –, bis er jedenfalls sagte: ›Bringen Sie Mike Calderon und Sharon Bauer dafür zusammen, und die Corinthian übernimmt fünfzig Prozent. Und den Verleih.‹ Und, verdammich, ich ging hin und brachte ihm Mike Calderon, ganz einfach so.«

»Wie das? Ich habe irgendwo gelesen, daß er vor allen Abzügen mindestens eine Million bekommt. Bei Ihrer Art von Budget –«

»Er bekommt eine Million von irgend jemand anderem«, sagte Kightlinger. »Von mir wird es Optionsgeld sein, und ein großer Brocken von den Einnahmen. Warum? Weil die Bauer die einzige ist, mit der er einen Film gemacht hat, ohne in sie hineinzukommen. Die Allereinzigste, die sich nicht hingelegt und die Beine breitgemacht hat, als er es verlangte. Das nagt wirklich an ihm, bei ihr nicht gelandet zu sein. Und hier bietet sich noch einmal eine Gelegenheit, es doch zu schaffen.«

»Sie haben ihm den Vertrag auf dieser Grundlage verkauft?« sagte ich, und Kightlinger erwiderte vorwurfsvoll: »Sehe ich aus wie ein zweiter Frankie Kurtz? Ich habe ihm das Skript gegeben, das war alles. Und ich habe ihm praktisch eingeredet, daß die

Bauer entschlossen sei, die Schwester zu spielen. Und als ich endlich zu ihr durchdrang, schien es ihr nicht das geringste auszumachen, daß es Mike sein würde.«

»Verstehe. Und wie ist Lou Hoffman dazu gekommen, zum Regisseur ernannt zu werden?«

»Den hat Mike ausgesucht. Er hat mit Mike schon gearbeitet, er weiß, wie Mike es am liebsten hat. Und Holly Lee hat Lou sich ausgesucht.«

»Es scheint auch außerhalb des Drehbuchs allerhand Inzest stattzufinden«, sagte ich, und Kightlinger lächelte mich weise an.

»In meiner Lage macht man das so, Milano. Wenn man sich auskennt.« Das Lächeln verblaßte. »Nur stecke ich bis an die beschissenen Augäpfel in Schulden. Und gerade, wo ich im Begriff bin, auf Öl zu stoßen, kommt diese Verrücktheit mit den Briefen, und das Hundevieh wird umgebracht. Meine einzige Hoffnung ist nur die, daß sich alles als großes, leeres Nichts erweist.«

»Angenommen, es erweist sich als großes Etwas?«

»Dann muß Frankie Kurtz dahinterstecken. Eine Vendetta, verstehen Sie? Wenn Sie ihn also wegstecken könnten, bis ich hier klar bin –«

»Selbst wenn ich es könnte, würde ich das nicht tun«, warf ich ein. »Ich kenne Kurtz. Seine Sache ist Geld, sind nicht drei Jahre alte Rachefeldzüge. Wenn einer dieser Briefe ein Erpresserbrief wäre, könnte das auf ihn hinweisen. Keiner davon war es.«

Kightlinger fiel wieder mit den Zähnen über den Niednagel her. Schließlich sagte er: »Wenn er es nicht ist –«

»Ja?«

»Nichts. Rede mit mir selber.«

»Es klang so, als kämen Sie auf etwas Interessantes.«

»Ah, hören Sie, Sie müssen vernünftig sein, Milano. Ich bringe den falschen Namen daher, und bis ich mich umsehe, trifft mich zu allen meinen anderen Schwierigkeiten noch eine Verunglimpfungsklage.«

»Üble Nachrede.«

»Was?«

Ich sagte: »Verunglimpfung ist es, wenn Sie es schriftlich niederlegen, üble Nachrede, wenn Sie es sagen. Und ich bin hier der einzige, der Sie das sagen hört.«

»Ich habe schon genug gesagt. Jedenfalls würde ich es mir an Ihrer Stelle mit dem Job leichtmachen. Wenn es nicht Frankie Kurtz ist, dann muß es jemand anderer unmittelbar hier sein. Und Sie einfach nur dabeizuhaben, Sie wissen, was ich meine, sollte den Betreffenden abkühlen.«

»Das muß man natürlich auch immer bedenken«, sagte ich.

* * *

Als ich diesmal bei der Garage anrief, brachte man mir einen Mercedes 280. Ich hatte den Berufsverkehr nicht berücksichtigt, der gegen fünf Uhr die Straßen zu verstopfen pflegte, so daß ich fünfzehn Minuten hinter dem Plan in der Telefonzelle des Einkaufszentrums stand.

Shirley rief mir das scharf ins Gedächtnis, dann sagte sie: »Manchmal kann ich es Angie bei Gott nachfühlen. Ich weiß nicht, was da unten vorgeht, und wenn Sie nicht rechtzeitig anrufen –« Es klang so bestürzt, daß ich die Verlockung, ihr zu erzählen, eine italienische große Schwester, eine italienische Mutter und eine selbsternannte jüdische Mutter auf einmal wären einfach zu viel, völlig unterdrückte. Ich sagte: »Hier unten geschieht gar nichts. Es ist ein Jux.«

»Oh? Noch immer im Bett mit Mrs. Quist?«

»Nein, ich habe sie überfordert. Ich wechsle mich jetzt bei der Sekretärin ihres Mannes ab. Eine echte Puppe. Los, Shirl, haben Sie Wieheißtergleich erreichen können?«

»Owen McNulty. Ja.«

»Wußte er von irgendeiner Beziehung zwischen Calderon und Daskalos?«

»Ja. Und es muß eine gute sein, weil sie uns fünfhundert kostet. Bitte keinen Firmenscheck, sagt McNulty. Es muß ein Barscheck sein.«

»Wie er will. Was weiß er?«

»Nun, dieser Daskalos betreibt irgendeine sonderbare kleine religiöse Organisation – kalifornischer Stil, Sie wissen schon –, vorwiegend mit Film- und Fernsehleuten. Ungefähr hundert an der Zahl. Aber früher war er –«

»Das kenne ich. Bleiben Sie nur bei der Beziehung zwischen ihm und Calderon.«

»Gut. Calderons Ehefrau ist eigentlich die mit der Beziehung. Seine jetzige. Ich muß Ihnen dazu etwas Hintergrund liefern, ob Sie das mögen oder nicht.«

»Von Mrs. Calderon?«

»Hören Sie nur zu: Calderons erste drei Frauen waren alle Reklameschönheiten, die keine Kinder bekamen. McNulty sagt, diese Nummer vier sei eine hübsche kleine Null, die stets außer Sichtweite gehalten wurde, während Calderon seiner fröhlichen Wege ging. Aber sie bekam ein Kind von ihm. Michael Junior. Jetzt sechs Jahre alt. Können Sie mir folgen?«

»Ja.«

»Gut, jetzt kommt der Punkt, wo McNulty sagt, er besäße nicht alles, was er braucht, um die Sache an die Öffentlichkeit zu bringen, aber genug, um seine Theorie sehr stark aussehen zu lassen. Nach allem, was er zusammengetragen hat, glaubt er, Mrs. Calderon sei unter den Einfluß dieses Daskalos geraten. Und Daskalos habe sie davon überzeugt, sie könnte nicht weiter mit einem von Grund auf ehebrecherischen Ehemann zusammenleben. Deshalb zog sie vor ein paar Monaten mit dem Kind in das Haus ihrer Eltern in Seattle und ist seitdem nicht mehr zu Calderon zurückgekehrt.«

»Wie weit hat McNulty das getrieben?« fragte ich.

»Er fuhr zu dem Haus in Seattle, er sah das Kind im Hof spielen, aber er sagt, das sei dort von ein paar echten Schlägern bewacht wie Fort Apache. Dann suchte er Daskalos auf, der ihm erklärte, er stehe unter einem schlechten Zauber und möge sich verdrücken. Er stellte Calderon schließlich unverhüllt die wesentliche Frage und hat das Gefühl gewonnen, er sei nah daran gewesen, an Ort und Stelle ermordet zu werden. Er sagt, er sei der Sache nicht weiter nachgegangen, weil das eine so große Geschichte nun auch wieder nicht sei, zumal das seine vierte Ehefrau ist und ein Niemand. Ich glaube, er hat sich selbst eingeredet, daß das keine große Geschichte sei.«

»Aber er glaubt, daß Daskalos Calderons Ehe kaputtgemacht hat«, sagte ich.

»Nun, die Ehe scheint dabei das Geringste zu sein. McNulty sagt, es sei möglich, daß Calderon sich nicht einmal an den Namen seiner Ehefrau erinnert. Aber sein einziges Kind zu verlieren – einen Sohn noch dazu – könnte äußerst schmerzhaft sein. Bei jemandem wie Calderon ist das schwer zu sagen. Und das ist alles für Ihre fünfhundert Dollar, Johnny. Sagen Sie, sind Sie eigentlich noch da?«

»Ja.«

»Schön zu wissen. Ich dachte, ich hätte Sie mit alledem schon eingeschläfert.«

»Weit gefehlt«, sagte ich.

* * *

Der Himmel im Osten begann eben zu funkeln, als ich zur Garage zurückkam. Ich ging hinauf zur Sicherheitszentrale, wo Araujos Stellvertreter mich respektvoll begrüßte und auf meine Frage hin erklärte, nein, für Personal oder Sicherheitsleute gebe es dieses Wochenende keine Heimfahrt; alle im Dienst hätten, soviel er wisse, für ständige Anwesenheit bis Samstag unterschrieben. Darauf habe Mr. Araujo bestanden.

»Es sieht also nicht danach aus, daß irgend jemand von Ihnen hier mit einer Person außerhalb persönlichen Kontakt aufnehmen könnte?«

»Telefonisch, ja. Sonst nicht.«

»Und Lieferungen, die hier ankommen?«

»Die überwache ich selbst. Der Fahrer darf das Fahrzeug nicht verlassen.«

»Fast wie ein Kampfeinsatz, wie?« sagte ich, und er meinte fröhlich: »Ja, wirklich. Aber viel bequemer.«

Ein Mechaniker setzte mich am Eingang zum Haupthaus ab. Als er davonfuhr, kamen Sharon und Maggie heraus, ganz angezogen für kühles Wetter. Ich sagte: »Zeit für die Abendandacht?«

Sharon nickte. Ihre Augen, die Verbindung zu den meinen suchten, waren flehend aufgerissen.

»Haben Sie mit Sid gesprochen?« fragte Maggie.

»Ja. Ich möchte es nicht beschwören, aber er scheint bereit zu sein, hier jeden ans Messer zu liefern. Dann verstummte er plötzlich. Was begreiflich ist. Man braucht nur einen Teil seines Pakets in Schande wegzuschicken, und er ist geliefert.«

»Aber hat Andrew Ihnen nicht gesagt, daß er bereit ist, zu vergeben und zu vergessen, wenn der Betreffende sich meldet? Wenn Sid das wüßte –«

»Würde er es nicht glauben. Ich glaube es übrigens auch nicht.«

»Weil Sie Andrew nicht kennen.« Sie wirkte enttäuscht. »Das war also alles, was bei Sid herauskam.«

»Nun, es tut ihm leid, daß er Sie geschlagen hat, wenn Sie ihm das abnehmen wollen. Auf der anderen Seite glaubt er, Sie hätten ihm ein paar Zahnkronen gelockert.«

»Gut.«

»Ich wußte, das freut Sie.« Dann fragte ich, ehrlich neugierig: »Warum nehmen Sie an diesen Andachten teil? Arbeiten Sie auf eine Bekehrung hin?«

»Kaum. Aber gleichgültig, wie Sie dazu stehen, Milano, sie tragen doch dazu bei, dem bedrückten Geist Erleichterung zu verschaffen.« Das Geständnis schien sie verlegen zu machen. »Vielleicht würde das jedem solchen Ritual gelingen.«

»Vielleicht. Dann will ich die Damen nicht aufhalten.« Ich wollte gehen, aber Sharon trat mir plötzlich in den Weg.

»Johnny, warten Sie.« Sie wandte sich Maggie zu. »Geh du allein voraus.«

Maggie zögerte. Dann warf sie mir einen Warnblick zu, der

beinahe schrie: ›Daß du nett zu dem Kind bist, ja?‹ und entfernte sich mit einer knappen Handbewegung strandwärts. Mit ihrem weit ausholenden Schritt bot sie ein erfreuliches Bild.

»Du magst sie, nicht wahr?« sagte Sharon.

»Ja.«

»Sehr?«

»Wenn dich beschäftigt, wie ich zu Miss Riley stehe –«

»Nein. Gehen wir hinein.«

Einer der Räume am Querkorridor neben dem Lift war ein Mini-Vorführraum mit schrägem Boden und Sesselreihen, die von der Vorführkabine bis zur Filmleinwand reichten. Sharon setzte sich an die Rückwand und kauerte sich in ihren Mantel. Ich ließ mich im Sessel neben ihr nieder. Sie starrte auf die leere Leinwand, dann fand ihre Hand die meine und umklammerte sie fest. Sie sagte zur Leinwand: »Wenn du nach New York zurückgehst, will ich mitgehen.«

»Wir können über alles, nur nicht über das sprechen«, sagte ich. »Zum Beispiel über dieses Schmuckkästchen. Welche Filme bevorzugt Andrew? Regelmäßige Vorführungen von ›Patton‹?«

»Nein, nur die meinen. Er sitzt gern mit mir hier und verfolgt sie. Sie stacheln ihn an.«

»Und dann ins Bett?«

»Ja.«

»Aber diese Filme haben doch nichts Pornohaftes an sich.«

»Ich weiß.«

Ich sagte: »Na, immerhin etwas Neues für die Sex-Handbücher. Andererseits kann ich es ihm nicht verdenken. Es ist ihm gelungen, zu bekommen, wovon ein großer Teil unserer männlichen Bevölkerung nur träumen kann.«

Nun sah sie mich an.

»Ich möchte, daß du nicht so redest. Ich sagte, es stachelt ihn an. Mich stachelt es nicht an. Es macht mich krank.«

»Seine liebevolle Aufmerksamkeit?«

»Nein, die nicht. Alles. Ich meine, er wird ganz wild, wenn er mich da oben betrachtet, aber das bin nicht wirklich ich. Und ich beobachte mich selbst und hasse es. Ich habe es immer gehaßt, auch nur die Schnellpositive zu betrachten, wenn ich den Streifen drehte.«

»Warum? Die Art, wie du auf der Leinwand ankommst –«

»Aber ich bin keine Schauspielerin, verstehst du denn nicht? Keine *spielende* Schauspielerin. Ich weiß nicht, wie man das macht, ich mache es einfach. Deshalb hatte ich bei den Dreharbeiten die ganze Zeit Angst. Und wenn ich hier sitze und zusehe, bekomme ich von neuem Angst, weil mir einfällt, wie mir zumute war.«

»Es bedeutet dir nichts, daß es dir immer gelingt, es richtig zu machen?« fragte ich. »Daß sogar jemand, der so hart ist wie die Kritikerin Pauline Kael, schrieb, du wärst eine der großen natürlichen Gestalten der Leinwand?«

»Das weiß ich alles. Es bedeutet gar nichts.«

»Warum hast du dann, zum Teufel, beschlossen, wieder zu drehen?«

»Weil es so weit kam, daß ich irgend etwas tun mußte. Was konnte ich anderes tun, als zum Film zurückzugehen? Aber wenn du nur –«

»Nein. Du könntest tun, was andere Frauen in deiner Lage tun.«

»Einkaufen«, sagte Sharon bitter. »Backgammon spielen. Und Tennis. Und Reisen. Und mit den örtlichen Weiberhelden herumschlafen. Und wieder einkaufen. Das ist mir alles völlig scheißegal.«

Ich sagte resigniert: »Also gut, ich sehe schon, wir müssen uns mit deinem Thema befassen. Du hast vor, einen Film zu drehen. Was geschieht mit dem Film, wenn du mit mir nach New York zurückgehst?«

»Wen interessiert das? Das ist Sids Problem.«

»Mag sein. Aber da ist noch etwas anderes. Was ist mit den hohen moralischen Maßstäben deines Guru? Ich höre, daß er Lou Hoffman und sein Mädchen schon dazu getrieben hat, auf einer ganz sonderbaren Grundlage getrennter Betten miteinander zu leben. Siehst du das für uns voraus, bis die Scheidung durch ist?«

Sharon sagte heiser: »O nein. Ausgeschlossen.«

»Dann bist du mit mir einig, was Daskalos angeht?«

Sie schüttelte den Kopf.

»Das habe ich nicht gesagt. Ich kann nur keine Gläubige mehr sein, das ist alles. Bei mir funktioniert das nicht.«

»Bei mir einzuziehen würde auch nicht funktionieren.«

»Doch, das würde es. Du hast schon festgestellt, daß es gehen würde.«

»Wegen der zwei Wochen, die wir miteinander hatten? Unter dem, was man zutiefst unwirkliche Bedingungen nennen könnte? Nein. Ich habe Zeit genug gehabt, über diese zwei Wochen und das, was sie wirklich bedeuteten, nachzudenken. Vermutlich zum erstenmal in deinem Leben bist du mit einem Menschen zusammengewesen, der dich in keiner Weise ausnutzen wollte. Der nur wollte, daß du das Leben genießt, weil er es tat, wenn du es konntest. Therapie, das war es. Und als du die Behandlung genutzt hattest, so gut du konntest, hast du dich bei einem anderen Spezialisten eingeschrieben.«

»Nein. Dieser Teil ist nicht wahr. Warum hast du die Briefe nicht gelesen, die ich dir geschickt habe? Da steht alles.« Sie zerrte an meiner Hand. »Würdest du sie lesen, wenn ich sie dir jetzt gäbe?«

»Du bewahrst sie hier auf?« sagte ich. »Laß dir aus beruflicher Erfahrung sagen, Lady, das ist außerordentlich unklug von dir.«

»Du brauchst nicht unaufhörlich Detektiv zu sein, Maggie hat sie zusammen mit ihren persönlichen Dingen weggesperrt. Wirst du sie lesen?«

»Es hat keinen Sinn. Es würde nichts ändern.«

»Bitte.«

Dieses magische, mörderische ›Bitte‹. Ich strich die Flagge, weigerte mich aber, mein Schiff selbst zu versenken.

»Also gut, ich lese sie. Unter einer Bedingung: Wir lassen das Thema jetzt fallen und bleiben bei der Sache. Besonders bei der, die zu übernehmen dein Mann mich bezahlt.«

Sie drückte heftig meine Hand.

»Ja. Was ist mit der Sache?«

»Eine Frage. Und die Antwort sollte möglichst der Wahrheit

entsprechen. Hat sich Frankie Kurtz seit London mit dir in Verbindung gesetzt?«

»Nein.«

»Weißt du, wo er im Augenblick ist?«

»An der Westküste, nehme ich an.«

»Genau hier«, sagte ich. »Seit einem Jahr in Miami Beach. Vermutlich ist er auch ab und zu in die Zeitungen geraten. Und davon hast du keine Ahnung gehabt?«

»Ich lese kaum Zeitungen.« Ihre Stimme nahm einen furchtsamen Ton an. »Johnny, glaubst du, er ist derjenige?«

»Nein, wenn er dir keine Drohungen oder Forderungen geschickt hat. Denk nur daran, daß du, wenn er es tun sollte, Quist sofort Bescheid sagst. Laß dich nie auf die Tour ein, stillzuhalten – oder aber...«

»Ja. Doch ich würde es lieber dir sagen, wenn es passiert.«

Ich erwiderte mit Betonung: »Nur werde ich nicht hier sein.«

Das brachte sie für kurze Zeit zum Schweigen. Dann sagte sie: »Was, glaubst du, wird morgen nacht geschehen?«

»Ich bin mir nicht sicher. Es spricht einiges dafür, daß gar nichts geschehen wird. Nicht unter den vorherrschenden Umständen.«

»Weil du hier bist?«

»Nein, weil Araujo die Sache sehr ernst nimmt, und wehe jedem, der ihn nicht ernst nimmt. Bis jetzt habe ich mir nicht einmal Unterkunft und Essen verdient. Dabei fällt mir ein: Werden alle da sein, wenn wir uns zum Abendessen versammeln?«

»Alle – bis auf Kalos.«

»Das liegt nahe. Wenn du jedenfalls die Sitzordnung für die Abendmahlzeit regelst –«

»Das macht Maggie.«

»Egal wer. Sorg nur dafür, daß ich neben Belle Rountree sitze. Aus dienstlichen Gründen.« Ich stand auf und zeigte auf die leere Leinwand. »Und da das die Stelle zu sein scheint, bei der wir hereinkamen –«

* * *

Pablo hielt sein Wort. Meine zwei seiner Obhut übergebenen Hemden hingen gewaschen und gebügelt in meinem Schrank. Ich zog eines davon an, schmückte mich mit einer Krawatte, entschied mich für ein gedämpfteres Jackett und machte mich auf den Weg zum Speisezimmer, noch weit vor der Essensstunde um acht Uhr. Wenn ich neben Belle Rountree sitzen wollte, war jetzt die Zeit, dafür zu sorgen.

Maggie war allein im Speisesaal und verteilte Platzkarten. Der Tisch, nicht ganz so lang wie eine Bowlingbahn, war bereits gedeckt. Das heißt, eine Hälfte war gedeckt – ein Service am Kopfende, fünf auf beiden Seiten. Der Rest, auf Hochglanz poliert und nackt, entfernte sich schimmernd in die Weite.

Ich begrüßte die Dame herzlich; sie erwiderte mit einem entschieden kühlen »Hallo«. Vor der Auswahl stehend, zu fragen, woher die Kühle komme, oder die Karten zu prüfen, prüfte ich die Karten. Quist sollte am Kopfende sitzen, auf seiner rechten Seite der Reihe nach Sharon, Calderon, Maggie selbst, Scott Rountree und Araujo. Auf Quists linker Seite waren Holly Lee, Kightlinger, Lou Hoffman, Belle Rountree und ich vorgesehen.

Die stumme Maggie fand plötzlich ihre Zunge wieder.

»Haben Sie etwas von mir gesagt, als Sie Ihren kleinen Dialog mit Sharon hatten?«

»Nein, warum?«

»Weil sie sich gerade sehr seltsam benommen hat. Sie kam in mein Zimmer und forderte mich auf, Sie beim Abendessen neben Belle zu setzen. Dann – kein Aufwärmen, sofort losgeschossen – sagte sie, sie hätte Sie gebeten, sie mit nach New York zu nehmen, wenn Sie gehen, und Sie hätten darauf geantwortet, das wollten Sie nicht tun.«

»O Gott«, sagte ich, »die vertraulichen Zwei.«

Und Maggie gab zurück: »Lassen Sie das nur. Sie kennen Sharon, und wir haben keine Geheimnisse voreinander. Was mich persönlich betrifft, kam als nächstes. Sie sagte: ›Wenn du natürlich diejenige wärst, würde er die Gelegenheit sofort beim Schopf packen, nicht wahr?‹ Und dann marschierte sie einfach hinaus, während sich an der Decke Eiszapfen bildeten.«

»Sie hat mich tatsächlich gefragt, ob ich Sie mag. Ich habe wahrheitsgemäß geantwortet, daß ich Sie mag. Weiter ist das nicht gegangen.«

»Ich bin mir nicht so sicher, Milano. Es ist mir klar, daß es für jede Frau ein psychologischer Triumph sein sollte, wenn Sharon Bauer sie als Rivalin betrachtet, aber meiner Position hier tut das überhaupt nicht gut. Wenn Sie aus ihren eigenen abgelegenen Gründen ihr wirklich angedeutet haben –«

»Nein. Kommt nicht außerdem in ungefähr einem Monat ein Stiftungs-Stipendium, das Sie für lange Zeit nach Europa führt? Das macht Ihre Position hier zu einer sehr zeitbedingten, würde ich sagen.«

»Sie wird noch zeitweiliger sein, wenn Sharon zu der Erkenntnis gelangt, ich sei ein unerwünschtes Element. Und das Geld von der Stiftung habe ich noch nicht in der Hand.«

»Ein großes, kräftiges Stipendium, hoffe ich.«

»Groß genug. Fünfzigtausend.«

»Ich fürchte, dem könnte ich nichts entgegensetzen. Immerhin, wenn Sie es bekommen und auf dem Weg nach Europa feststellen, daß Sie eine Zeit in New York verbringen – oder Europa sogar eine Weile verschieben können –«

»Nein.«

»Im Augenblick gebe ich mich mit dem ›Vielleicht‹ zufrieden.«

Maggie sagte zornig: »Sie sind so gottverdammt auffallend, Milano. Gleichgültig, was Sie für Sharon wirklich empfinden, Sie werden sie bei jeder sich bietenden Gelegenheit bestrafen, nicht wahr? Nun gut, das ist Ihre Sache. Aber versuchen Sie nicht, mich als angebliche Konkurrenz aufzubauen, nur um Ihr Vorhaben zu fördern.«

Ich sagte liebenswürdig: »Was immer Sie meinen«, und als sie mißtrauisch fragte: »Ist das alles?«, erwiderte ich: »Sicher. Ich nehme an, Daskalos spielt in seinem Bungalow nicht den Eremiten. Er läßt sich hier und da auch in der Baracke sehen.«

»Ab und zu. Er besucht Sharon, wenn er in der Stimmung ist. Und er benutzt die Bibliothek.«

»Gibt es in dem Bungalow ein Telefon?« fragte ich. »Ich habe dafür keine Nummer aufgeführt gesehen.«

»Auf seine Bitte hin. Aber er hat Telefon. Und ja, er benutzt es ziemlich häufig. Zumeist gehen Anrufe von der Westküste ein. Gläubige, die ein Problem haben, bei dem er helfen soll.«

»Aber wenn er in der Stimmung ist, führt er von sich aus Gespräche.«

»Ja. Wenn Sie jetzt freundlicherweise erklären würden, warum Sie so –«

»Man kommt«, warnte ich. Denn tatsächlich kam man, angeführt von Quist in seinem Rollstuhl, durch die Tür.

* * *

Für die Weihnachtsgäste hier mochten Kaviar und Champagner aufgetischt worden sein, aber was Araujos Zeitpersonal als Abendmahlzeit lieferte, war eine Art cubanisches Eß-Festival: als Hauptgang ein Reisgericht, zusammengekocht mit schwarzen Bohnen und Rindfleisch, ergänzt durch Krüge voll wässriger Sangría. Die Bedienung war unsicher, verwirrt und manchmal ausgesprochen gefahrvoll. Nichts davon trug dazu bei, die Atmosphäre am Tisch, die erheblich dicker war als die Sauce zum Eintopf, aufzulockern.

Quist, der das alles von seinem Rollstuhl am Kopfende des Tisches aus mit ätzendem Blick aufnahm, regte von Zeit zu Zeit das allgemeine Gespräch an, das im besten Fall anfallsweise stattfand. Einmal tat er es auf meine Kosten, indem er mich daran erinnerte, daß ich ihm für meine Niederlage bei der Schwimm-Olympiade am Morgen einen Dollar schuldete. Nachdem ich den Schein über den Tisch an ihn hatte weiterreichen lassen, hielt er in bester Laune einen Vortrag über einen legendären australischen Schwimmer namens Murray Rose, dessen abstoßloser

Schwimmstil ihn zu seiner jetzigen notwendigen Technik angeregt habe. Im selben Maß wie seine Siegmethoden.

Belle Rountree, bis dahin stumm, während sie vorsichtig einen Weg durch ihre Delikatessen suchte, um Proteine von Kohlehydraten zu unterscheiden, beugte sich zu mir herüber.

»Ein Dollar ist billig. Er hat Scottie beim Schach hundert abgenommen. Bis dahin hatte Scottie sich für einen Schachspieler gehalten.«

Ich lachte höflich.

»Legt er seine Gäste noch auf andere Weise aufs Kreuz?«

»Beim Bridge. Nach dem Essen könnte ein Spieltisch aufgestellt werden. Er und Maggie Riley gegen alle, die sich trauen. Vorsicht.«

»Spielt sie gut?«

»Ziemlich gut, aber er auf Meisterebene, würde ich sagen. Quetscht das Blut aus einem Blatt. Und weil wir gerade von Blut reden, wie kommen Sie damit voran, dem Esel den Schwanz anzukleben?«

»Halbwegs.«

»Aber Sie glauben, es ist jemand hier am Tisch?«

»Könnte sein.«

»Könnte sein. Sie sind ein richtiggehendes kleines Plappermaul, wie?« Sie sah mich fragend an. »Oder besteht die Möglichkeit, daß Sie mich auf Ihrer Liste haben und das Thema eine Spur zu unbehaglich finden?«

»Ihr Name steht gewiß mit drauf«, sagte ich. »Und nein, ich finde das Thema überhaupt nicht unbehaglich.«

Belle legte ihre Gabel behutsam auf den Tisch. Kightlinger, auf unserer Seite weiter unten, und Calderon, ihm direkt gegenüber, erwärmten sich für einen Streit über Kinematographie. Irgend etwas von Kameraleuten der Westküste, die nicht wüßten, wie sie mit dem Sonnenlicht von Südflorida umgehen müßten. Kightlinger sagte, sie könnten es nicht, Calderon meinte, doch, und mit jedem Wortwechsel wurden ihre Stimmen lauter.

Plötzlich sagte Belle zu mir: »Wie, zum Teufel, kommen Sie auf die Idee, es bestünde auch nur eine entfernte Chance, ich könne diejenige sein?«

»Motiv. Und Gelegenheit.«

»Was für ein Motiv?«

»Ihnen paßt nicht, was mit dem Filmskript Ihres Mannes geschieht. Die Fassung wird auf Daskalos' Anordnung hin gemetzelt. Vielleicht mehr als das paßt Ihnen nicht, was mit Ihrem Mann gemacht wird. Er scheint Daskalos seine Ware abzukaufen. Unter den Einfluß zu geraten.«

»Und das ist Ihre schwachsinnige Vorstellung von einem Motiv?«

»Ist es. Ein wie starkes Motiv, weiß ich nicht, weil ich Sie nicht so gut kenne. Oder Ihren Mann. Ich nehme aber an, daß Sie auf seine Arbeit stolz sind. Er ist kein Schmierer. Richtig?«

»Sie könnten nicht richtiger liegen. Er wird in literarischen Kreisen sehr achtungsvoll behandelt. In echten literarischen Kreisen. Und ein Schmierer setzt sich nicht Jahre hin und schwitzt, um einen Roman zu schreiben. In dreizehn Jahren hat er fünf davon geschrieben, bei voller Anstrengung.«

»Und ein Filmskript.«

»Er hat alles hineingelegt, genauso, wie er es bei seinen Romanen macht. Er könnte kein Schmierer sein, und wenn er sich anstrengen würde, einer zu sein.«

»Und so wollen Sie es?«

»Genau so und nicht anders. Wenn der ›New York Times Book Review‹ ihn als echtes Talent bezeichnet und ihm zwei volle Seiten widmet –«

»Trotzdem«, unterbrach ich, »als Daskalos verlangte, entweder das Herz aus dem Skript herauszuschneiden oder kein Film, hat ihr Mann eindeutig mitgemacht. Nennt man das denn nicht Lohnschreiberei?«

»Nein«, sagte Belle mit leichter Stimme. »Stolz.«

»Stolz?«

»Fünf Bücher«, sagte Belle. »Großartige Kritiken, verdammt kleine Auflagen. Ich bin in der Familie der Brotverdiener. Scottie bringt ab und zu ein kleines Stück Kuchen. Damit zu leben, ist für ihn nicht leicht. Wenn dieser Film gedreht wird, heißt das, daß er zum erstenmal in seinem Leben echtes Geld auf die Bank legt.«

»Ich dachte, für den Job sei er bereits bezahlt worden.«

»Optionen. Zehn Prozent. Die anderen neunzig kommen, wenn die Hauptdreharbeiten beginnen.«

»Aber so, wie die Dinge stehen, möchten Sie lieber nicht, daß sie beginnen.«

»Das ist – das war – ein wunderbares Skript, bevor es auf den Operationstisch kam. Und ich weiß das, weil mein Beruf darin besteht, Literarisches zu begutachten. Ich arbeite für Wyeth & Weyeth. Schon mal davon gehört?«

»Nein.«

»Literarische Agenten. Alten Stils. Sind immer noch der Meinung, es gehe um die Qualität des Geschriebenen und nicht um die Verpackung. Es war Scotties Glück, daß sie diejenigen gewesen sind, welchen er sein erstes Manuskript geschickt hat. Und ich war diejenige, welche es aus dem Stapel herauszog. Wollen Sie den Rest auch noch hören? Er kam mit einem Pappkoffer und einer Reiseschreibmaschine von Des Moines nach New York, und ich arbeitete mit ihm an dem Buch, bis es reif für die Verleger war, und schließlich heirateten wir. Und wie Sie sehen können, sind wir immer noch verheiratet. Ende der Geschichte.«

Lou Hoffman, auf der anderen Seite von Belle, war in den Streit um die Kameraleute hineingezogen worden. Er behauptete klagend, daß er als Regisseur mit Pruitt an der Westküste bereits Verbindung aufgenommen habe, und daß Pruitt keine Lehrstunden im Umgang mit irgendwelchem Sonnenlicht brauche. Schließlich sei er bei Mikes letztem Film, den man in Texas aufgenommen habe, an der Kamera gewesen. Was denn dann mit dem dortigen Sonnenlicht sei?

»Ach, Herrgott noch mal«, sagte Kightlinger und griff nach dem Krug Sangría. Der allzu hilfsbereite Kellner hinter ihm griff ebenfalls danach, und auf dem Tisch wurde Wein verschüttet. Der Blick, den Araujo seinem Gehilfen zuteil werden ließ, war eine gepunktete Linie mit Dolchen dahinter.

Belle sagte zu mir: »Außerdem sind Sie völlig im Irrtum, wenn

Sie glauben, alles sei mit dem Film bestens gewesen, bis Kalos auftauchte. Ich gestehe Sid Kightlinger einiges zu: Er hat mit guten Absichten angefangen, aber er hatte nicht den Mumm, durchzuhalten.«

»Soll heißen?«

»Soll heißen, daß er, als er erfuhr, er könnte finanziert werden, wenn er Mike Calderon verpflichte, sich sofort auf die Chance stürzte. Er wußte, daß Mike für die Rolle überhaupt nicht geeignet ist – er ist um mindestens zehn Jahre zu alt dafür –, und er wußte ferner, daß Mike die Herrschaft über jeden Film übernimmt, bei dem er mitwirkt. Daher kam es, daß Lou als Regisseur bestimmt wurde, und daher kam, daß Holly Lee für eine Hauptrolle vorgesehen worden ist. Und sie ist viel schlimmer als eine glatte Fehlbesetzung.«

»Und Mrs. Quist?«

Belle sagte grimmig: »Reine Selbstverleugnung von Sid. Im Skript gibt es zwei Schlafzimmerszenen. Sehr entscheidend, sehr offen.« Sie wies mit dem Kinn zum Kopfende des Tisches, wo Quist sich von der Auseinandersetzung über die Kameraleute unterhalten ließ. »Unser Mr. Quist hat von Anfang an klargestellt, daß er die Absicht hat, jedesmal am Drehort zu sein, wenn seine Frau eingesetzt wird. Ich bitte Sie, die Konsequenzen zu überdenken.«

Ich überdachte sie.

»Interessant«, räumte ich ein. »Glauben Sie, Daskalos könnte Quist dazu angestachelt haben, den Anstandswauwau zu spielen?«

»Kalos? Das hätte er gar nicht zu tun brauchen. Warum?«

»Weil Sie beim Frühstück angeregt haben, ich sollte mich darum kümmern, weshalb Calderon so scharf darauf sei, in dem Film zu spielen, und warum er Daskalos gerne tot sähe. Das Scharfe ist meinen Quellen zufolge dies, daß Calderon von einem gräßlichen Drang besessen ist, mit Mrs. Quist ins Bett zu steigen, ohne daß ihr Mann oder ein Kameramann anwesend sind. Ist das richtig?«

»Gräßlich ist das richtige Wort dafür.«

»Und da Daskalos gegen solche Unmoral eintritt –«

»Das ist es ungefähr. Sie kennen Mike nicht. Er ist keiner, der mit dem Frust lebt. Und wenn eine Abschreckung von Daskalos –«

»Sie haben beim Frühstück nichts vom Abschrecken gesagt«, unterbrach ich sie. »Sie sagten, nach Ihrer Meinung stehe ein Mord bevor.«

Belle wirkte unglücklich.

»Na, wenn Sie gesehen hätten, wie das arme Tier dalag. Und das Blut –«

»Mord war der Ausdruck, den Sie gebraucht haben«, sagte ich. »Und gezeigt haben Sie auf Calderon.«

»Nun gut, dann ziehe ich die Nominierung zurück. Ich habe nie sagen wollen, Mike sei ein Killer. Rundherum ein Schweinehund, ja. Kein Killer.«

»Sind Sie da sicher?«

Belle sagte aufgebracht: »Ach, kommen Sie, Sam Spade.«

»Wissen Sie etwas über Calderons Ehe? Seine Familie?«

»Wissen *Sie* was? Er hat irgendwo Frau und Kind. Wenn Sie Bilder von dem Kleinen sehen wollen, fragen Sie ihn danach. Er trägt einen Zentner davon mit sich herum.«

»Und das ist alles, was Sie über ihn wissen?«

»Wenn ich mehr wüßte, wäre ich gerne bereit, ein Seminar für Sie darüber abzuhalten.«

Ihr Timing war schlecht. Kightlinger, der lauthals seine Meinung über Kameraleute vertrat, ertappte Quist dabei, daß dieser ihn belustigt betrachtete, und verstummte mitten im Wort. Belles Äußerung war in der plötzlichen Stille deutlich zu vernehmen. Alle Köpfe wandten sich uns zu.

Belle sagte zu den anderen in lebhafter Weise: »Ich habe auf den dritten Grad durch Mr. Milano reagiert. Er macht auf Detektiv.«

»Dazu ist er da«, sagte Quist ebenso lebhaft.

* * *

Nach dem Essen wurde in einer Art Spielzimmer, das ausgestattet war mit ein paar Kartentischen, einer Bar, Großwildtrophäen (zumeist fleischfressender Art) und einer Reihe von Pachinko-Spielautomaten, Bridge gespielt. Zur Einstimmung gab es Zigarren und Kognak. Die Zigarre, zu der Araujo mir Feuer reichte, war gut. Der Kognak, den ich probierte, war nicht dieselbe Klasse wie Quists Privatmarke.

Hoffman und Kightlinger blieben noch kurze Zeit bei Getränken, dann entfernten sie sich, um die Arbeit des Tages am Skript durchzugehen; Holly Lee folgte ihnen. Quist und Maggie bildeten ein Bridgepaar gegen die Rountrees. Sharon und Calderon setzten sich in Armsesseln zusammen, die Calderon in eine Knie-an-Knie-Stellung zusammengeschoben hatte. Am Bridgetisch sagte Belle Rountree: »Ein Zehntel Cent pro Punkt ist nach wie vor meine Richtung.«

Rountree murmelte irgend etwas.

Auf einem Tisch bei den Spielautomaten stand eine Schale mit Messingmarken. Araujo sah mir zu, als ich eine Marke in eines der Geräte warf und den Drücker ausprobierte. Er sagte im Unterton: »Tun Sie mir einen Gefallen: Weisen Sie mich an, hier an der Eingangstür rund um die Uhr einen Mann aufzustellen.«

Ich warf ihm einen Blick zu und sah, daß er keine Witze machte. Ich sagte: »Sicher. Tun Sie das.« Ich ließ eine Kugel schnurren, und sie klirrte melodisch an Eisenstiften. »Und jetzt verraten Sie mir, warum ich Ihnen diesen Gefallen tun soll.«

»Weil Mrs. Quist es haßt, Sicherheitsleute dort wahrzunehmen, wo sie sie sehen kann. Sie machen sie nervös. Deshalb kann sie die Stadtwohnung nicht ertragen. Die Sicherheit dort wird sehr auffällig gehandhabt. Aber da sie solches Zutrauen zu Ihrem Urteil in diesen Dingen hat –«

»Hängt das nicht von Mr. Quist ab?«

»Nicht, wenn sie emotional wird.«

»Verstehe. Wenn sie diesmal emotional wird, dann laden Sie das Problem einfach auf mich ab.«

»Sie sind doch auch der Meinung, daß ein Mann an die Tür gehört, oder?« sagte Araujo.

»Allerdings. Rund um die Uhr. Und hellwach.«

Er entfernte sich, um dafür zu sorgen. Ich machte ein paar Spiele, mit schlechten Ergebnissen. Dann trat ich an den Bridgetisch und stellte mich neben Belles Schulter auf. Sie hatte Quists Können nicht unterschätzt, aber hier wurde es ihm auch leichtgemacht. Belle selbst ging mit ihren Karten geschickt um, aber Rountree war einer jener angriffslustigen Menschen, die unbedingt das Gebot an sich bringen und das Blatt spielen müssen, komme, was da wolle. Das war tödlich gegen eine Mannschaft wie Quist und Maggie, die den Betreffenden arglos zum Überreizen verlocken, dann verdoppeln, übernehmen und Punkte sammeln. Jedesmal, wenn das geschah, beschimpfte er seine Frau für ihr Bieten, und Belle nahm das brav hin und nickte zustimmend zur Aufzählung von Sünden, die sie nicht begangen hatte.

Die Spielweise ihres Mannes lieferte ihr Gelegenheiten genug, Strohmann zu sein, und schließlich benutzte sie eine solche – nachdem sie die Karten hingelegt und sich das voraussehbare Kontra eingehandelt hatte –, um vom Tisch aufzustehen und auf sichere Entfernung davonzugehen. *En passant* sagte sie zu mir: »Haben Sie vielleicht eine Zigarette übrig?«

Ich ging ihr durch das Zimmer nach und zündete die Zigarette für sie an. Sie setzte sich auf die Armlehne eines Sofas und paffte. Schließlich sagte sie: »Sie sehen Scottie nie im besten Licht, nicht wahr?«

»In meinem Beruf sieht man die Leute selten im besten Licht.«

»Ich weiß. Wie ein Gynäkologe.« Sie wedelte Rauch weg. »Steht er auch auf Ihrer Verdächtigenliste?«

»Ja.«

»Das hat er sich gedacht. Und es gehört zu den Dingen, die ihn beunruhigen. Sie müssen wissen, daß der bloße Gedanke lächerlich ist.«

»Wenn er unser Joker nicht ist, hat er keinen Anlaß, sich Sorgen zu machen.«

Belle zerdrückte die Zigarette in einem Aschenbecher.

»Sie sollten sich wirklich ein paar neue, frisch polierte Klischees einfallen lassen. Und übrigens auch einen plausiblen Verdächtigen. Sonst lacht Sie in diesem Augenblick hier jemand in aller Stille tüchtig aus.«

»Vielleicht auch nicht. Schließlich ist noch niemand von der Liste gestrichen.«

»Nicht einmal Holly Lee?« sagte Belle zuckersüß.

»Nein.«

»Das muß ein Witz sein. Das Mini-Miststück gilt als eine der wirklich echten Arschküsserinnen des Propheten.«

»Sie ist Schauspielerin«, sagte ich. »Profi. Hören solche Leute auf zu schauspielern, wenn sie nicht drehen? Können sie das?«

»Na, unter anderen Umständen würde ich vielleicht dagegenreden. Im Augenblick bin ich ganz dafür. Bleiben Sie bei ihr, Sam.« Sie stand auf, um zum Tisch zurückzugehen. Ich versperrte ihr den Weg und sagte: »Heute früh haben Sie die Briefe an Daskalos als biblisch bezeichnet. Liegt das daran, daß Sie Zeilen aus der Bibel darin erkannt haben?«

»Erinnern Sie sich an jede Kleinigkeit, die Sie hören, Sam?«

»Ich erinnere mich daran, weil eine Zeile im ersten Brief mir keine Ruhe läßt. Sie klingt vertraut, aber ich kann sie nicht unterbringen. ›Ich bin in der Hölle.‹ Ist das aus der Bibel?«

»Nicht daß ich wüßte«, sagte Belle. »Es ist nur so, daß einfach der ganze Ton biblisch wirkt. Grimmige Prophezeiung. Jeremias unterwegs. Übrigens auch verdammt erschreckend. Wenigstens für eine Zivilistin wie mich.«

»Sie besitzen ein Urteil über Geschriebenes. Würden Sie sagen, daß sie gut geschrieben sind?«

»Sehr gut geschrieben, auf ihre grausliche, verallgemeinernde Art. Beinahe so, als –« Sie verstummte, und als ich aufmunternd sagte: »Ja?«, meinte sie: »Machen Sie Ihre Hausaufgaben selber. Ich muß kalte Karten anwärmen.«

Das Spiel endete zwei Robber später, und das Team Maggie-

Quist teilte sich acht Dollar Gewinn. Man sagte Gute Nacht, und Sharon schaltete den ganzen Saphirglanz ihrer Augen an, als die Reihe an mich kam. Maggie blieb noch, um das Licht abzuschalten, und ich leistete ihr Gesellschaft. Während des ganzen Spieles war es ihr gelungen, so zu tun, als sei ich für sie nicht vorhanden. Nun, den Finger am Lichtknopf, mußte sie Notiz von mir nehmen.

»Nach Ihnen, Mr. Milano.«

»Wissen Sie«, sagte ich, »das alles hat wirklich etwas Komisches an sich. Mit uns. Sie haben ein saftiges Drehbuch präpariert, wonach ich Sharons betrogener und rachsüchtiger Liebhaber bin. Sie mögen mich in dieser Rolle nicht, was verständlich ist. Gleichzeitig wollen Sie mich aber nicht erklären lassen, daß ich völlig fehlbesetzt bin.«

»Ich sehe nicht ein, warum meine Ansichten für Sie eine Rolle spielen sollten, Mr. Milano.«

»Aber sie tun es, Miss Riley. Darf ich das Drehbuch jetzt umarbeiten?«

»Wenn Sie die Güte hätten –«

»Hören Sie nur zu: Zum einen habe ich nicht die Absicht, Quists Geld zu nehmen und gleichzeitig mit seiner Frau ins Bett zu gehen. Ich gebe zu, daß das vor drei Jahren noch anders ausgesehen hätte. Aber im Gegensatz zu dem, was Sie vorhin abends sagten, können drei Jahre eine sehr lange, lehrreiche Zeit sein.«

Maggie ließ die Hand vom Lichtknopf sinken.

»Ich kenne Sharon fast genauso lange. Mir scheint, daß sie heute noch immer so ziemlich dieselbe ist wie damals.«

»Oder sogar noch mehr. Das ist der springende Punkt. Damals in England hatte ich die Vorstellung, daß ich sie aus ihrem Traumland in die gute, gesunde Wirklichkeit zurückholen könnte. Aber gestern abend, als sie und ich uns unterhielten, begriff ich, daß sie nicht nur nicht näher an meine Wirklichkeit herangerückt war, sondern mich statt dessen mit in ihr Traumland gezerrt hatte. Der edle Ritter, erschienen, um eine seelenbewegende, pillenschluckende Prinzessin vor all den Drachen zu bewahren, die es auf sie abgesehen hatten.«

»Ich scheine mich zu erinnern, daß der Vergleich mit dem edlen Ritter von mir stammt«, sagte Maggie.

»Richtig. Und auf irgendeine Weise hat er mir geholfen, meinen Eindruck zu verstärken, daß Mrs. Quist viel hartgesottener ist, als sie aussieht. Sie ist in Wahrheit nicht der Spielball des Schicksals. Sie weiß, was sie will, wann sie es will, und sie hat eine unheimliche Art, es sich zu holen. Ein Amöbentyp. Umfließt sozusagen das begehrte Objekt und verdaut es.«

»Um genau zu sein«, sagte Maggie ätzend, »ganz das wunderschöne Monster.«

»Nee. Nur ein schönes Kind, das völlig durcheinander ist. Aber lassen Sie das alles beiseite, Miss Riley. Richten Sie Ihren Blick auf die unterste Zeile. Wo ich Ihnen anzeige, daß, wenn ich mein Vergnügen an Ihrer Gesellschaft bekunde, das nicht geschieht, weil ich versuchen wollte, Sie gegen Sharon auszuspielen. Gott behüte. Und nachdem das geklärt ist –«

»Ich bin nicht so sicher, daß das der Fall ist, Milano.« Aber ihre Stimmung wechselte unverkennbar von dunkel auf hell.

»Versuchen Sie es mit mir«, sagte ich. »Ich habe einen offenen Kamin und alles Drum und Dran. Wir können hinaufschlendern –«

»Nein.« Sie schaute auf die Uhr. »Was wir tun können, ist, uns in mein Büro setzen und mein Buch besprechen. Erinnern Sie sich an mein Buch über van Gogh? Wir wollten heute irgendwann darauf kommen. Vom Tag ist nicht mehr viel übrig.«

»Ihr Büro?«

»M-hm. Mein schlichtes altes Büro. Kein offener Kamin, kein Zubehör, kein Bett. Haben Sie die Studie über Jack the Ripper gelesen, die ich Ihnen gegeben hatte?«

»Ich habe darin geblättert. Wenn Sie sich fragen, ob ich irgendeinen Zusammenhang zwischen ihm und van Gogh gefunden habe, nein, das war nicht der Fall. Aber im Augenblick –«

»Im Augenblick, Milano«, sagte Maggie, »gehen wir ins Büro und fangen an.«

* * *

Auf dem Weg zum Büro sah ich, daß jetzt ein uniformierter Sicherheitsmann an der Innenseite des Eingangs stand, ein Typ wie Pablo, aber noch jugendlicher. Er zeigte uns einen fröhlichen Gruß mit zwei Fingern, als wir vorbeigingen, und ich erwiderte ihn. Außer seiner Hörweite sagte ich zu Maggie: »Araujo hat mir gesagt, Sharon hätte etwas gegen sich auffällig massierende Leibwächter. Das sei der Grund, weshalb sie lieber hierbliebe, als im Penthaus in der Stadt zu wohnen. Trifft das zu?«

»Ja. Ich kann es ihr im Grunde nicht übelnehmen. Andrew läßt sie in der Stadt nie aus der Wohnung gehen, ohne daß ihr irgendeiner nachläuft, der eine Kanone unter der Achsel trägt. Das kann zu einem ziemlich beengten Lebensstil führen. Hier hat sie wenigstens Raum, in dem sie sich bewegen kann.«

»Ist es möglich – einfach nur möglich«, sagte ich, »daß es nicht bloß Kidnapper sind, die Andrew bedrücken? Daß er sich auf diese Weise unauffällig eine Gelegenheit verschafft hat, seine Frau zu jeder Minute zu überwachen?«

»Möglich ist alles«, sagte Maggie kurz.

»Na, das nenne ich eine klare, zweideutige Antwort.« Ich bemerkte, daß sie die Bürotür diesmal aufschließen mußte, statt sie einfach aufzudrücken.

Sie winkte mich zu einem Sessel und ließ sich seitlich an ihrem Schreibtisch nieder, das Gesicht mir zugewandt. Ein kalter Wind rüttelte an den Terrassentüren und wehte ins Zimmer.

»Wenn man bedenkt, wieviel Geld Quist hier hineingesteckt hat, warum dann keine Zentralheizung für Zeiten wie diese?« fragte ich.

»Das ist nur eine Kältewelle. Sie hält nie lange an.«

»Das möchte mir die Handelskammer auch einreden. Na gut, ich werde warm, wenn ich von van Gogh höre. Fangen Sie mit den heißen Tagen im sonnigen Arles an.«

»Nein.« Sie war todernst. »Ich fange lieber damit an, Sie zu fragen, welchen Eindruck Sie von ihm haben. Nicht als Maler.

Als Mann.«

»Meine Vorstellung von ihm? Ach, wohl ein Märtyrer seiner Kunst. Kunst, die mindestens so neurotisch ist wie Sharon Bauer.«

»Ist das alles?«

»Ich habe mich auf diese Prüfung wirklich nicht vorbereitet. Nun, sagen wir, er hatte das Herz am richtigen Platz. Er fühlte mit den Armen und Unterdrückten, gebrauchte sie in der Frühzeit als seine Modelle. Finanziell sein ganzes Arbeitsleben von seinem guten Bruder abhängig, wie heißt er gleich?«

»Theo.«

»Theo. Gegen dem Ende zu, als er in Arles war, wurde er vom Neurotiker zum Psychotiker. Er bekam eine Reihe von Anfällen. Das war die Sache, als er sich ein Ohr abschnitt und es einer überraschten Prostituierten offerierte. Schließlich brachte er sich um. Ich gebe mich mit einem würdigen Dreier zufrieden.«

»Den verdienen Sie nicht«, sagte Maggie ohne Humor. »Er war nicht psychotisch, nicht so, wie Sie das meinen.« Sie wies auf die Bücherregale. »Da stehen seine gesammelten Briefe. Wenn Sie einen Beweis für Klarheit und Brillanz sehen wollen, dann lesen Sie sie.«

»Wenn ich Zeit habe. Würde es Ihnen jetzt etwas ausmachen, mir zu sagen, wie Jack the Ripper da hineinpaßt? Das ist der Teil, für den ich hier bin, nicht?«

»Darauf komme ich noch. Zuerst wollen wir die Aufzählung etwas ergänzen. Vincent war nicht nur empfindsam, was die Unterdrückten anging; er quälte sich mit dem Zustand der unterdrückten Frau herum. Vor allem mit diesen zugrunde gerichteten Straßenmädchen, die ihm ab und zu ihre Dienste leisteten. Er war exzentrisch und ungeschickt, so daß Frauen seiner eigenen Klasse vor ihm zurückschreckten. Also wandte er sich Prostituierten zu. Und hatte deshalb heftige Schuldgefühle. Nicht aus moralischen Gründen, sondern aus einem Verständnis für die Erniedrigung heraus, die sie erlitten.«

»Ich kenne ein paar Nutten«, sagte ich, »die nicht ganz –« und Maggie unterbrach mich scharf: »Sie kennen niemanden von der

Art, wie er sie gekannt hat. Nicht die kranken, verbrauchten Frauen, die man mit einer Brotkruste kaufen konnte. Wie diejenige, welche er aus Mitleid zu sich nahm. In seiner Amsterdamer Zeit. Eine Frau namens Sien. Der tief bewegende, armselige Bodensatz des Fasses. Noch dazu schwanger. Er hatte selbst nicht viel mehr als eine Kruste Brot, aber er bot ihr und ihren Kindern fast zwei Jahre lang ein Heim. Als Theo meinte, das ergäbe keinen Sinn, zumal, da die Frau undankbar sei und ihn beschimpfe, antwortete Vincent schlicht, das sei seine Pflicht.«

»Ich fange an, einen entfernten Zusammenhang mit Jack the Ripper zu erkennen«, sagte ich. »Der Ripper metzelte die Prostituierten, van Gogh rettete sie. Darüber hinaus bin ich immer noch überfragt.«

»Aber Sie müssen doch wissen, daß der Ripper sie nicht einfach umgebracht hat. Er verunstaltete sie. Und in einem Fall schnitt er dem Opfer sogar eine Niere heraus und schickte sie mit der Post an die Polizei.« Sie beugte sich vor, die Augen funkelnd vor Ernsthaftigkeit. »Finden Sie das nicht erhellend, Milano? Diese spezielle Handlungsweise? Angesichts der Selbstverstümmelung Vincents?«

Ich mischte das innerlich alles zusammen und kam schließlich zu der geforderten Erhellung.

»Wollen Sie damit sagen, van Gogh habe sich das Ohr abgeschnitten und es einer Prostituierten geschenkt, um auszugleichen, was Jack the Ripper einer anderen Prostituierten angetan hatte? Ist das Ihre Theorie?«

»Es ist mehr als eine Theorie, Milano. Und sie löscht ein für allemal das ganz herablassende Bild vom wahnsinnigen Künstler, der eine willkürliche, selbstzerstörerische Tat begeht. Was Jack the Ripper getan hatte, als er der Polizei den blutigen Überrest seines Opfers mit der Post schickte, war für Vincent der letzte Tropfen, der Gipfel an Abscheulichkeit. Was Vincent als Antwort darauf tat, war, eine Handlung der Sühne zu begehen. Denn sein Ohr abzutrennen und es einer Prostituierten zu geben, stellt nichts anderes dar.«

»Halt mal«, sagte ich. »Sie fassen zusammen für die Geschworenen, statt Beweise vorzulegen.«

Maggie atmete tief ein.

»Also gut, das Beweismaterial. Fangen wir mit der Tatsache an, daß die sechs dem Ripper eindeutig zugeschriebenen Morde zwischen Anfang August und Ende November 1888 begangen wurden. Die Zeitungen brachten das erstmals im September.«

»Die britischen Zeitungen.«

»Natürlich waren es zuerst die Zeitungen in London. Aber die Presse überall – Frankreich eingeschlossen – nahm das auf der Stelle auf. Ich habe eine ganze Schachtel voller Ausschnitte aus französischen Provinzzeitungen im Midi, die Vincent gelesen haben muß.«

»Oder von denen Sie annehmen, daß er sie gelesen hat. Wann genau hat er das mit dem Ohr gemacht?«

»Am 23. Dezember desselben Jahres. Die Frau, der er es gab, hieß einfach Rachel. Offenkundig eine Favoritin von ihm im so genannten Bordell Nr. 1 in Arles. Damals lebte Paul Gauguin mit Vincent zusammen. Er besuchte das Bordell ebenso häufig wie er.«

Ich fing damit an, daß wir Paul Gauguin und Konsorten weglassen könnten, aber Maggie erwiderte drängend: »Nein, das können wir nicht. Hören Sie zu: Er und Vincent hatten an diesem Tag einen heftigen Streit. Sie hatten sich ständig bei der Kehle, aber diesmal scheint es schlimmer gewesen zu sein als sonst. Gleich nach dem Streit, als Vincent allein war, schnitt er sich teilweise das Ohr ab und brachte es Rachel. Der Fall Ripper war inzwischen überall das vorherrschende Gesprächsthema. Bedenken Sie, daß diese beiden Männer – Vincent, der Qualen für die Opfer erlitt, Gauguin, dazu geboren, Frauen zu mißbrauchen – bei diesem Thema einander diametral entgegengesetzt sein mußten. Bedenken Sie, daß Gauguin, um eine solche Diskussion zu beenden, durchaus gesagt haben könnte: ›Na, und was, zum Teufel, kannst du schon dagegen tun?‹ Und als Vincent allein war, sah er in einem Rauch der Scham und Verzweiflung das, was er dagegen tun konnte. Und tat es. Und ist dafür immerdar mißverstanden worden.« Sie wartete und machte den Eindruck, als wolle sie sich auf mich stürzen, sollte ich das Falsche sagen. Ich ließ mir Zeit bei dem Versuch, das Richtige zu finden.

»Als Allermindestes glaube ich nicht, daß ich je wieder einen van Gogh betrachten kann, ohne das alles zu bedenken.«

»Wie großzügig von Ihnen.«

»Seien Sie nicht unfair«, sagte ich. »Sie haben eine Theorie erarbeitet, und wenn man alles berücksichtigt – vor allem das zeitliche Zusammentreffen der Ereignisse –, hat sie etwas für sich. Immerhin ist eine Stiftung bereit, Geld hineinzustecken. Aber Sie müssen sich selbst darüber im klaren sein, daß sie Erhärtung braucht.« Ich zeigte auf die Bücherregale. »Wird, zum Beispiel, in diesen Briefen van Goghs irgendwo Jack the Ripper erwähnt?«

»Nein. Aber es gilt, anderes Material aufzufinden. Briefe, Tagebücher, Aufzeichnungen, versteckt und vergessen von Leuten, mit denen er damals in Berührung kam.«

»Wie Gauguin?«

»Nicht Gauguin. Ich bin sicher, daß das, was er und Vincent über das Thema zueinander gesagt haben, mit ihm ins Grab gesunken ist.«

»Das ist ja für den Anfang schon ein ganz schönes Handikap, nicht wahr?« sagte ich, und Maggie schüttelte heftig den Kopf.

»Ganz im Gegenteil. Der Streit, den sie an diesem Tag hatten, ist nie aufgeklärt worden. Und Gauguin war keineswegs zurückhaltend, was seine Streitigkeiten anging. Weshalb sollte er die Art dieser Auseinandersetzung geheimhalten, wenn er nicht ein starkes Schuldgefühl empfand? Wenn nicht etwas, das er im Verlauf sagte, Vincent dazu getrieben hat, sich selbst zu verstümmeln und das Ohr Rachel zu geben? Natürlich wäre das sarkastisch gemeint gewesen – ›Wenn es dir schon so verdammt leid tut, daß einer toten Hure ein Stück Fleisch herausgeschnitten wird, warum gleichst du die Rechnung nicht für sie aus?‹ – etwas in dieser Art. Aber Vincent hätte das wörtlich genommen.«

»Die Möglichkeit räume ich ein. Aber das andere Material, das Sie suchen wollen – rechnen Sie wirklich damit, daß Sie etwas Lohnendes finden werden?«

»Selbstverständlich. Ich fange da nicht kalt an. Ich habe bereits Spuren in der Provence und in Amsterdam, an die ich mich halten kann. Und da brauche ich Ihren beruflichen Rat.«

»Worüber?«

»Ich muß in Europa ungefähr ein Dutzend Leute ausfindig machen. Bei den meisten besitze ich keine Adresse, nur Identifikation. Aber das sind die Leute, die mir weitere Hinweise darauf geben sollen, wo privates Material gelagert sein könnte. Wie würden nun Sie das anstellen?«

»Über eine Detektei in Paris, die ich kenne.«

»Eine Detektei?«

»Richtig. Ich kann Ihnen eine Empfehlung an den leitenden Mann dort mitgeben. Aber eines müssen Sie sich merken: Es wird teuer.«

»Wie teuer? Wenn ich das Stipendium bekomme, habe ich immerhin fünfzigtausend Dollar, mit denen ich arbeiten kann.«

Ich rechnete hastig.

»Ein Mann bei Vollzeit kostet Sie in einem Jahr die Hälfte davon, höfliches Aufpäppeln des Spesenkontos eingeschlossen. Wie man zugestehen muß.«

Maggie sagte: »Also in zwei Jahren –« plötzlich war es im Zimmer stockdunkel. Kristallüster und Schreibtischlampe hätten nicht durch einen der Windstöße, die sich an die Türen warfen, ausgeblasen werden können. Ich befand mich in einem Tunnel, zu beiden Seiten kein Licht.

»Ach, verdammt«, sagte Maggie. »Stromausfall. Keine Sorge. Es gibt einen Hilfsgenerator. Er wird gleich anspringen.«

Das tat er nicht.

* * *

Gegenstände im Raum begannen undeutlich Form anzunehmen. Ich gebrauchte mein Feuerzeug, um meine Uhr abzulesen. Zehn Minuten nach elf. Ich fragte: »Haben Sie eine Taschenlampe in

Griffnähe?« und Maggie sagte: »Schon da.«

Eine Schublade öffnete sich scharrend. Ein Lichtstrahl zuckte durch das Zimmer und nagelte einen Vollmond an die gegenüberliegende Wand.

Ich nahm die Taschenlampe und gab Maggie das Feuerzeug. Ich sagte: »Ich gehe hinaus. Tun Sie inzwischen, was ich sage. Keine Fragen. Rufen Sie Daskalos an. Wenn er sich meldet, sagen Sie nur, der Strom käme gleich wieder. Das ist alles. Dann rufen Sie Calderon an und tun dasselbe. Wenn einer von den beiden nicht antwortet, versuchen Sie es immer wieder. Wenn und falls Sie endlich Antwort erhalten, merken Sie sich die Zeit. Was sagt Ihre Uhr genau?«

Sie stimmte mit der meinen überein.

»Aber Kalos schläft vermutlich schon«, wandte Maggie ein. »Und Mike ist höchstwahrscheinlich in Miami Beach.«

»Lassen Sie nur. Beschäftigen Sie sich einfach mit dem Telefon.«

Ich ging über die Terrasse hinaus, eine günstige Abkürzung, und die Gaslampen unterwegs machten den Weg zu einer leicht zu bewältigenden Strecke zum Dienstgebäude. Ich war nicht der erste an Ort und Stelle. Unmittelbar vor dem Generator-Raum, in der Mitte von Lampenstrahlen, drängten sich Figuren, unter ihnen herausragend Araujo. Er trug ein Unterhemd, sein Gürtel hing offen. Er wirkte wutentbrannt. Ein uniformierter Mann saß zusammengekauert am Boden, die Zähne zusammengebissen, die Augen geschlossen. Seine Kopfhaut war blutverschmiert.

Ich sagte zu Araujo: »Was ist mit Daskalos?« und er antwortete: »Da ist alles in Ordnung.« Er zeigte auf den betäubten Mann am Boden und zischte: »Dumm wie die Karnickel. Er hörte ein Geräusch, ging hinaus, um nachzusehen, und jemand gab ihm eins auf den Schädel.«

»Vor oder nach der Verdunklung?« fragte ich, und Araujo erwiderte ungeduldig: »Kurz vorher, versteht sich. Und das ist keine Verdunklung.« Er zeigte durch den dicken Maschendraht der geschlossenen Gittertür auf die Hebel an der Steuertafel, beide jetzt in der Horizontale. »Sehen Sie das? Der Zugang von außen und der Notgenerator – beides abgeschaltet. Und wer das getan hat, ist auch noch mit dem Schlüssel dieses Idioten entwischt. Ich mußte den meinen aus dem Büro holen lassen. Und seine Waffe hat man ihm auch abgenommen. Das ist etwas Wundersames, daß sie gerade jetzt irgendwo herumschwirrt.«

Ich sagte ohne allzu große Hoffnung: »Es ist Ihnen doch klar, daß ein solcher Überfall eine Sache für die Polizei ist, nicht?«

»Nein. Der Chef würde einen Anfall bekommen, und das aus gutem Grund. Es lohnt nicht.«

»Und wie steht es mit einem Arzt? Das sieht nach einem schweren Hieb aus.«

Araujo sagte verächtlich: »Nicht genug, um einen Kopf aus Beton einzudellen. Zwei Aspirin, und er wird wieder beisammensein wie ein Stier. Bis ich ein kleines Gespräch mit ihm geführt habe.«

Ein Mann kam mit dem Schlüssel herangestürzt. Araujo öffnete die Gittertür, drückte die Hebel nach oben, und es wurde hell. Er nahm den Telefonhörer am Tisch ab, um mir die zerschnittene Schnur zu zeigen.

»Hat nichts übersehen.«

Auf dem Tisch lag aufgeschlagen ein Pornoheft, eine Ecke war mit einer leeren Bierflasche beschwert. Araujo schleuderte das Magazin durch die offene Tür nach dem Verletzten und verfehlte ihn weit. Er brüllte den Mann an: »Sitzt da und wichst dir einen ab, was? Bei Überstundenbezahlung?«

Er feuerte eine Salve Spanisch auf die anderen Männer ab, dann griff er nach meinem Arm und führte mich hinaus. In Anbetracht seiner Faßform und der Stummelbeine konnte er sehr schnell sein. Er sagte: »Ich hole einen Golfwagen und bringe Sie zurück. Dann will ich die Bungalows überprüfen.«

»Gute Idee. Macht es Ihnen etwas aus, wenn ich mich anschließe?«

»Durchaus nicht. Aber« – seine Stimme wurde herzlich und einschmeichelnd – »es gibt noch etwas, das sofort geschehen muß. Etwas, von dem ich möchte, daß Sie es übernehmen.«

»Ja?«

»Dem Chef erklären, was gerade geschehen ist. Sehr diplomatisch.« Er brachte ein Lachen zustande. »Morgen wird er sich ein wenig beruhigt haben, wissen Sie, aber im Augenblick –«

Ich sagte, ich hätte nichts dagegen, der Überbringer schlechter Nachrichten zu sein, aber als unser erster Stop käme nur das Haupttor in Frage. Daraufhin zog Araujo die Brauen hoch.

»Jeder, der diesen Weg versucht, würde bemerkt werden. Die Sicherheit dort ist sehr streng.«

»Darauf verlasse ich mich.«

Er trabte hinauf in sein Büro und kam mit Hemd und Jacke zurück. Dann steuerte er uns, unverkennbar gereizt durch diesen Umweg, mit dem Golfwagen zum Haupttor.

»Zeitverschwendung«, murmelte er, als er am Wachhaus hielt.

Seine Stimmung änderte sich, als er den Diensthabenden befragte. Ja, sagte der Mann, vor nicht allzu langer Zeit sei jemand hinausgefahren. Während des Stromausfalls. Mr. Calderon. Eindeutig. Keine Frage. Mr. Calderon.

Araujo wendete mit dem Golfwagen und fuhr auf das Haupthaus zu. Nach fünfzig Metern die Auffahrt entlang brachte er uns ruckartig zum Stillstand.

»Mensch«, sagte er verwirrt. »Michael Calderon. Aber ein Mann wie der? Warum? Aus welchem Grund?«

»Ich könnte Ihnen einen guten nennen«, sagte ich, »aber er muß streng unter uns bleiben. Wenn Sie etwas dagegen haben –«

»Nein, nein, durchaus nicht.«

Ich beschrieb Calderons Eheprobleme praktisch so, wie Shirley Glass sie mir am Telefon geschildert hatte, und Araujo nickte grimmig.

»Soviel will ich Ihnen sagen«, erklärte er. »Wenn man mir mein Kind – meinen einzigen Sohn – mit solchen Mitteln nehmen würde –«

»Ich weiß. Aber das garantiert nicht, daß Calderon unser Mann ist.«

»Na sicher«, sagte Araujo, auf den Scherz eingehend.

»Ich meine es ernst. Calderon fährt jeden Abend in die Stadt. Ich wollte jetzt am Tor erfahren, ob er das heute auch getan hat.

Und er hat es getan, in dem Wissen, erkannt zu werden. Wenn er den Stromausfall herbeigeführt hat, hieße das, daß er unvorstellbar sorglos vorgegangen wäre.«

»Stimmt ja auch.«

»Aber bis jetzt war unser Spaßvogel bei seinem Unternehmen alles andere als sorglos«, sagte ich. »Diese beiden Dinge passen nicht zusammen.«

Araujo meinte ungläubig: »Sie glauben, das entlastet ihn?«

»Durchaus nicht. Ich glaube, wir ziehen keine voreiligen Schlüsse, wie das jemand zu wünschen scheint. Wir machen einfach so weiter wie bisher. In welcher Richtung auch immer.«

Araujo setzte den Wagen mit einem Fußtritt in Bewegung.

»Schön«, sagte er. »Sagen Sie mir nur Bescheid, wenn wir da sind.«

* * *

Maggie, noch immer am Telefon, hatte Gesellschaft. Quist, angetan mit einem Bademantel und einem Handtuch, das er wie einen Turban um den Kopf trug, saß in seinem Rollstuhl; sein Gesicht war grau und vor Schmerzen eingefallen. Er sagte in heiserem Flüstern zu mir: »Das war kein zufälliger Stromausfall, wie?«

Ich erwiderte: »Eine Sekunde.« Dabei sah ich Maggie fragend an. Sie legte auf und sagte: »Alles, was ich bei Kalos bekomme, ist ein Besetztzeichen. Mikes Telefon läutet, aber er meldet sich nicht. Mr. Quist hat mich schon vor ein paar Minuten die Sicherheit anrufen lassen. Der Mann dort sagte, Kalos sei nichts passiert, und Sie und Virgilio wären gemeinsam irgendwohin unterwegs.«

»Araujo überprüft gerade die Bungalows«, sagte ich. »Calderon hat eine Fahrt in die Stadt unternommen. Für den Augenblick ist alles unter Kontrolle.«

Sharon kam gerade rechtzeitig herein, um das noch mitzubekommen. Sie trug statt des Kleides zum Abendessen ein T-Shirt und Shorts, und unter dem T-Shirt war offenkundig nichts. Sie griff nach Quists Hand und sagte zu ihm: »Siehst du? Jetzt kannst du hineinfahren und deine Schlaftabletten nehmen, nicht?« Ohne ihm Gelegenheit zu einer Antwort zu geben, erklärte sie mir: »Er war im Jacuzzi, als der Strom ausfiel. Und ausblieb. Und Maggies Telefon war ständig belegt. Es fiel mir furchtbar schwer, jemanden zu Hilfe zu holen.«

Quist sagte zu ihr: »Bitte, Liebes –«, atmete ein paarmal tief ein, als müsse er die Lunge aufpumpen, damit sie richtig arbeitete – »es ist alles unter Kontrolle.« Er funkelte mich an. »Also, was, zum Teufel, ist passiert?«

Ich beschrieb, was geschehen war, ohne Calderon noch einmal zu erwähnen. Quist nahm es mir in dieser Verpackung nicht ab.

»Sie sagten, unser Mr. Calderon hätte eine Fahrt in die Stadt unternommen. Wann ist er weggefahren? Genau wann?«

»Einige Minuten, bevor der Strom ausfiel.«

Quist lehnte sich im Rollstuhl zurück.

»Na, ist das nicht interessant?«

»Doch. Aber ich erkläre es Ihnen auch so, wie ich das bei Mr. Araujo getan habe. Wenn Calderon der Betreffende ist, würde er dann mit dem Finger direkt auf sich selbst zeigen? Mr. Araujo scheint zu glauben, ja. Ich habe meine Zweifel.«

Quist ließ sich Zeit, das abzuwägen. Schließlich sagte er: »Virgilios Spezialität ist Sicherheit, nicht Ihre Art von Arbeit. In dieser Lage halte ich mich also an Sie. Bis zu einem gewissen Punkt. Also, was ist mit Mr. Daskalos, der sich am Telefon nicht meldet? Haben Sie ihn immer noch im Visier?«

Bevor ich antworten konnte, protestierte Sharon: »Aber wenn Kalos meditiert –«

Und Quist sagte mit der Stimme eines gütigen Vaters zu einem schwachsinnigen Kind: »Vielleicht auch nicht, Liebes. Nicht unbedingt.« Er bewegte mühsam die Beine, dann richtete er den Blick wieder auf mich. »Also, was ist nun mit Daskalos?«

»Wenn er derjenige ist, kann ich nicht verstehen, warum. Das hindert mich nicht, mir meine Gedanken darüber zu machen.«

»Und wo stehen wir dann? Irgendein Kommentar? Irgendein Ratschlag?«

»Ein Kommentar. Nach den Indizien von heute abend kann unser Übeltäter jetzt als gefährlich eingestuft werden. Ein Ratschlag. Derselbe wie vorher: Schicken Sie hier alle weg.«

Quist sah Sharon an. Sie preßte die Lippen fest zusammen, und ihr Gesicht wurde steinern. Er nickte beinahe unmerklich. Maggie, die das mitbekam, wirkte bedrückt.

»Also wirklich, Andrew, es wäre vielleicht klüger –«

Aber er fauchte sie an: »Warten Sie!« Er schob mir das römische Senatorenkinn entgegen. »Sagen Sie mir eines, Johnny. Und keine Ausflüchte. Glauben Sie, daß irgendeine Gefahr für meine Frau besteht, wenn sie hierbleibt?«

»Nur, wenn jemand mit einer geladenen Schußwaffe herumläuft –«

»Verdammich, ich habe eine klare Frage gestellt. Glauben Sie in Ihrer beruflichen Eigenschaft, daß dieser Jemand mit einer geladenen Schußwaffe eine Bedrohung für meine Frau darstellt? Ja oder nein?«

»Wenn Sie mich so fragen, nein.«

»Also gut. Dann versuchen Sie zu verstehen, daß das unser Zuhause ist. Und niemand – niemand auf der ganzen Welt, Mr. Milano – wird uns von hier verscheuchen, nur weil er Lust hat, Unfug zu treiben. Wenn ich meine Beine hätte, würde keiner es wagen, Unfug zu treiben. Nun, dieser alte Krüppel hat noch immer seine moralischen Beine. Und eine große Portion altmodischer Selbstachtung.« Er mußte nach Atem ringen, um die Predigt abzuschließen. »Wie immer Sie Ihrer Arbeit auch nachgehen, Mr. Milano, denken Sie daran!« Er zog seine Hand aus der von Sharon, drehte den Rollstuhl herum und fuhr schnell davon. Sharon zögerte, dann ging sie zum Schreibtisch, beugte sich kurz darüber und sprach leise mit Maggie. Sie entfernte sich, bemüht, nicht in meine Richtung zu blicken. Ich sagte zu Maggie: »Worum ging das?«

»Sie hat mich gebeten, Ihnen zwei Briefe auszuhändigen, die ich für sie weggeschlossen hatte. Sie sind in meinem Schlafzimmer. Warten Sie einen Augenblick.«

Die Briefe steckten in ihren Umschlägen, die noch in den größeren Umschlägen von Watrous & Co. verwahrt waren, wie ich sie zur Rücksendung verwendet hatte. Ich schob sie in die Jakkentasche und fragte: »Wissen Sie, was sie enthalten?«

Maggie zuckte die Achseln.

»Sie wollte, daß ich sie lese, aber dazu hatte ich keine Lust. Ich glaube, ich habe aber eine Vorstellung davon, was sie enthalten.«

»Ich auch. Sie sollte Ihnen das wirklich nicht alles aufladen, wissen Sie. Daß Sie Ihr Treuegefühl zwischen ihr und Quist aufspalten müssen.«

»Es gelingt mir, damit zu leben.« Sie sah mich forschend an. »Es ist Ihnen klar, daß Sie die Party gerade hätten beenden können, ja? Sie hätten Andrew nur zu sagen brauchen, daß sie in Gefahr sei. Aus welchem Anlaß auch immer.«

»Nein, er ist zu schlau, auf welchen Anlaß auch immer hereinzufallen. Er würde einen guten, logischen Grund verlangen, und ich könnte keinen bieten. Wenn ich versucht hätte, einen vorzutäuschen, stünde ich jetzt bekleckert da.«

»N-n.« Sie schüttelte den Kopf. »Sie doch nicht. Niemals.«

»Wenn das ein Kompliment sein soll, vielen Dank. Aber ich vermute, eher nicht. Was beschäftigt Sie, Maggie Riley?«

»Ein großes Fragezeichen. Sie wissen, daß Sharon von Kalos praktisch genug hat, nicht?«

»Ja.«

»Und Sie wissen, daß sie weitermachen wollte, und wenn jemand dieses Haus bombardieren würde. Denn wenn alle von hier fortmüßten, wären Sie auf dem Rückflug nach New York.«

»Da geraten wir ins Reich der Spekulation«, sagte ich. »Ich fliege ohnehin am Donnerstag zurück. Ich glaube nicht, daß ein Tag –«

»Aber sie. Sie kämpft um die Zeit, Ihr Nein in ein Ja zu verwandeln, und ein Tag kann den Unterschied bedeuten. Wie Sie selbst betont haben, scheint sie ja schließlich eine Art zu haben, zu bekommen, was sie will.«

»In der Regel. Aber wo taucht das Fragezeichen auf?«

»Genau dort, wo Sie Andrew hätten sagen können, daß sie in Gefahr sei, und es nicht taten. Wenn Sie es getan hätten, wäre es hier trotz Andrews tapferer Reden innerhalb von einer knappen Stunde völlig leer gewesen. Die Frage ist also die, Mr. Milano: Stehen Sie jetzt im Begriff, dieses Nein in ein Ja zu verwandeln? Denn wenn das so sein sollte, bin ich diejenige, welche am Ende hier übrigbleibt und sich mit Andrew in seinem Leid abgeben muß. Und ich möchte mein Schützenloch rechtzeitig gegraben haben.«

»Dann legen Sie den Spaten weg, Gefreiter Riley. Sie werden ihn nicht brauchen.«

Maggie wirkte zweifelnd.

»Das ist Ihr Ernst?«

»Ja. Und aus Gefälligkeit könnten Sie versuchen, Sharon davon zu überzeugen.«

»O nein, Milano, ich werde mich hüten.«

»Also gut, dann tun Sie mir einen anderen Gefallen: Diese Milano-Geschichte, nach der Sie süchtig zu sein scheinen. Bei unserer ersten Vorstellung habe ich Ihnen erklärt, daß ich bei meinen Freunden, soweit vorhanden, Johnny heiße.«

Maggie sagte tonlos: »Bedaure. Das ist Sharons Ausdruck. Ich möchte mich da lieber nicht dazwischendrängen.«

»Das ist wirklich schlecht, daß Sie dauernd Sharon zwischen uns schieben. Aber ist es überhaupt Sharon? Oder der Schatten eines Mannes namens Donnie Maxwell? Des Mannes, der mit Ihnen zusammenlebte. Und mit Ihnen an Ihrem Buch arbeitete.«

Maggie sagte vorwurfsvoll: »Sie hat Ihnen von mir erzählt?«

»Ja. Mit großer Bewunderung.«

»Und da lassen wir das Thema fallen, Milano. Genau da.«

»Hören Sie«, sagte ich, »es kommt eine Zeit –«

Das Telefon läutete. Ich verfluchte Alexander Graham Bell und alle seine Werke, als Maggie sich meldete.

»Nein, das brauche ich nicht. Er ist hier bei mir.« Sie gab mir den Hörer. »Es ist Virgilio. Scheint weiteren Ärger zu geben.«

Araujo sagte: »Ich bin in Bungalow B. Gleich neben Mr. Daskalos. Ich mußte diesen Apparat benutzen.«

»Es ist ihm etwas zugestoßen?«

»Nein, nein. Aber es gibt ein Problem. Eigentlich das Ihre. Ich lasse Sie sofort von einem Golfwagen abholen. Ich warte vor Mr. Daskalos' Haus.«

»Ich brauche keinen Wagen. Ich bin in ein paar Minuten da.« Ich legte auf. Maggie wirkte krank.

»Mein Gott«, sagte sie. »Kalos.«

»Immer langsam, Baby. Alles in Ordnung mit ihm.«

»Das sagen Sie nicht nur einfach so?«

»Nehmen Sie mich beim Wort«, entgegnete ich. »Er wird mindestens noch eine Morgenandacht feiern können.«

* * *

Ich erreichte den Bungalow nach einer Reihe von Schnellspurts, und Araujo erwartete mich auf der Terrasse. Er zeigte auf die Tür.

»Ich habe ihm das mit dem Stromausfall und dem Überfall erklärt. Und was geschah? Er behandelte mich, als wäre ich hergekommen, um ihn von hinten zu vernaschen. Ich hätte kein Recht, Gott in den Arm zu fallen, sagte er. Alles schön und gut, sagte ich, aber es gehe doch um seine Sicherheit. War es falsch von mir, ihm das zu sagen?«

»Nein. Was weiter?«

»Er sagte, seine Sicherheit sei nicht meine Sache. Was geschehen müsse, werde geschehen. Dann gab er mir das hier.« Araujo hielt mir das Blatt Papier hin. Dieselbe starke Qualität. Die vertraute Schreibmaschinenschrift. Aber diesmal eine auf das absolute Minimum zusammengekochte Botschaft.

Mittwoch, 25. Januar

*Heute nacht!*

Ich schaute auf meine Uhr.

»Mittwoch ist es schon seit zehn Minuten. Wann hat er das bekommen?«

»Will er nicht sagen. Er sitzt da. Er sagt jetzt überhaupt nichts mehr.«

»Hatte er heute Besucher? Ihr Mann nebenan achtet darauf, nicht wahr?«

»Bis zum Stromausfall keine Besucher.«

»Und währenddessen?«

Araujo senkte den Kopf auf die Brust, während er darüber nachdachte, und machte aus zwei Kinnen vier.

»Nein. Daß jemand im Dienstgebäude gewesen sein und die Schalter betätigt haben soll, während er gleichzeitig das hier ablieferte –«

»Also gut, wer bringt Daskalos hier sein Essen?«

»Sie kennen ihn. Pablo.«

»Nun, besteht irgendeine Möglichkeit, daß Pablo –?«

Araujo schüttelte mit eiserner Gewißheit den Kopf.

»Keine. Pablo ist mein Neffe. In seiner Art ein wenig ungezwungen, aber ein guter Junge. Keiner, der seinem Onkel Virgilio mit gefährlichen Tricks käme.«

Ich hielt das Blatt Papier hoch.

»Wenn wir also annehmen, daß das heute niemand abgeliefert hat, und daß es nicht von selbst hergeflogen ist –«

»Ich weiß, ich weiß. Scheiße.« Araujo spuckte in hohem Bogen über die Blumenhecke an der Terrasse. »Dann haben wir es mit der Möglichkeit zu tun, daß Mr. Daskalos diese Briefe selbst an sich schreibt. Und wir stehen vor der Möglichkeit, daß Mr. Calderon den Stromausfall hervorgerufen hat. Wenn wir schon von Puzzleteilen reden, die nicht zusammenpassen, wie wäre es mit den beiden?«

»Vielleicht kann uns Daskalos beim Zusammensetzen helfen.« Ich legte eine Hand auf den Türknopf. »Ist offen?«

»Immer. Darauf besteht er.«

Die Tür führte direkt in ein Wohnzimmer, das weit mehr Holiday Inn war als das ›Plaza‹. Im Kamin brannte ein kleines Feuer, davor stand ein Stuhl mit gerader Lehne. Daskalos saß in Pullover und langer Hose in Habachtstellung auf dem Stuhl, die Hände auf den Knien, die Augen auf die Schicht glühender Kohle hinter dem Ofenschirm gerichtet.

Ich fragte Araujo: »Wo ist hier das Telefon?«

Daskalos sagte, ohne den Kopf zu drehen: »Ich habe Sie nicht in mein Haus eingeladen, John Milano.«

»Dann muß ich mich selbst einladen.« Ich sah Araujo an, den dieser Wortwechsel überaus peinlich zu berühren schien. »Nun?«

Er winkte.

»Im Schlafzimmer steht ein Telefon. Ein Nebenapparat ist in der Küche.«

»Bei einem ist abgenommen worden. Sehen wir nach.«

Das Telefon im Schlafzimmer war in Ordnung, der Hörer in der Küche baumelte neben dem Wandapparat. Ich hängte ein und bat Araujo um Miss Rileys Nummer. Sie meldete sich sofort, offenbar mit dem Schlimmsten rechnend. Ich erklärte ihr beruhigend, daß alles in Ordnung sei, umging die Frage, wozu Araujo mich gebraucht habe, und bat sie, mich morgen früh wecken zu lassen. Oder noch besser, wie wäre es, wenn sie das Wecken selbst übernähme? Aber nicht zur Anbetung bei Sonnenaufgang. Vielleicht gegen halb neun.

»Tut mir leid«, sagte sie. »Da fahre ich zum Museum. Ich habe dort um neun Uhr eine Verabredung mit Andrews Anwalt.«

»Was halten Sie dann davon, wenn ich mitkomme? Vielleicht meine einzige Gelegenheit, die Sammlung zu sehen.« Ich gestattete ihr ein langes Schweigen, dann sagte ich: »Und ich habe eine Frage zu Ihrem Buch. Das sollte der richtige Schauplatz dafür sein.«

»Nun« – sie war von der Idee immer noch nicht begeistert – »gut. Ich lasse Ihnen um acht Uhr von irgend jemandem ein Frühstückstablett bringen.«

Ich hängte ein. Weil gerade von Tabletts gesprochen worden war – unter dem Telefon stand auf einem Arbeitstisch eines voll schmutzigem Geschirr. Außerdem eine Schale Obst, eine zweite mit Salatzutaten, und zwei große Flaschen Essig und Öl. Beweis dafür, daß selbst Messiasse vor dem Augenblick der Wiedergeburt einen herzhaften Appetit haben können. Araujo nahm sich ein paar Weintrauben und steckte sie gerade in den Mund, als ich mich umdrehte. Ich öffnete die Außentür und sah, daß die Rückseite des Gebäudes nur wenige Meter vom Rand der Strandklippe entfernt war. Ich konnte die in den Sand gehauenen Stufen und in der Ferne weiße Linien erkennen – Wellen, die sich am Ufer brachen –, aber sonst kaum etwas.

Wir gingen ins Wohnzimmer zurück. Ich stellte mich zwischen Daskalos und den Kamin und zwang ihn, die scharfe Bügelfalte an meiner Hose zu betrachten. Araujo hielt sich respektvoll im Hintergrund.

»In meiner Kirche ist Selbstmord eine Todsünde«, sagte ich zu Daskalos. »Irgendeine Meinung dazu?«

Keine Antwort.

»Es wird Ihnen auffallen, daß ich mich an die Theologie halte, Lehrer«, sagte ich. »Keine Tierkreiszeichen, keine Karten, nur hochgesinnte Theologie. Oder ist sie Ihnen zu hochgesinnt?«

Das riß ihn aus seiner Katatonie.

»Selbstzerstörung ist eine Sünde, John Milano. Nur Gott kann Leben schenken. Nur Gott kann es nehmen.«

»Wenn einer also an seinem eigenen Tod mitwirkt, Lehrer, macht er sich dann dieser Sünde schuldig?«

Daskalos hob sein Gesicht zu dem meinen; es ließ Anzeichen der Erhitzung durch ein bösartiges Temperament erkennen.

»Sie sind wie die Schlange, John Milano. Ein Verderber. Aber die Frau, die Sie zu verderben versuchten, hat sich mit der Kraft, die ich ihr gab, dagegen gewehrt. Das ist der Grund, weshalb Sie mich jetzt herausfordern, nicht wahr? Denn als Sie ihr den Zugang zum Weg versperren wollten –«

Araujo nahm das alles fasziniert und mit offenem Mund auf. Ich sagte scharf: »Ach, hören Sie doch auf, Daskalos!« Und ich schoß ihn mitten im Flug ab. Ich gab Araujo mit der Hand ein Zeichen. »Gehen wir. Wir vergeuden hier unsere Zeit.«

Auf der Terrasse sagte er zu mir: »Wovon hat er geredet? Sie schienen im Begriff zu sein, ihm an die Kehle zu springen.«

»Kaum. Und er hat nur denselben Unsinn geredet, den er schon heute früh daherbrachte. Morgens bin ich frisch, da kann ich es aushalten. Aber zu dieser späten Stunde bin ich entschieden nicht in der Stimmung für diese Art von Quatsch.«

»Ja. Natürlich. Sie sollen ihn morgen abend streng unter Beobachtung halten. Das heißt, heute abend. Direkt hier bei ihm. So, wie er sich ausgelassen hat, sehe ich nicht, wie –«

»Darüber zerbrechen wir uns den Kopf, wenn es an der Zeit ist«, sagte ich.

* * *

Es war Holly Lee, die in einem züchtig bis zum Hals zugeknöpften Schlafanzug mein Klopfen an der Tür von Bungalow C beantwortete.

Sie sei allein, sagte sie. Nachdem sie einige Zeit in Sids Wohnung Lou und Sid bei der Arbeit am Skript zugesehen habe, sei sie hierher zurück- und sofort ins Bett gegangen. Soviel sie wisse, beschäftigten sich die beiden noch immer mit dem Skript.

Im Wohnzimmer setzte sie sich in einen Lehnsessel, die Beine ausgestreckt, und zeigte lange, knochige Füße. An der Sohle eines Fußes befand sich ein teerig aussehendes Oval von der Größe eines Vierteldollars. An der Ferse gab es eine ähnliche Verfärbung. Araujo schienen, wie ich bemerkte, diese Spuren sehr zu interessieren, während ich Holly Lee in den Ablauf der Ereignisse einweihte. Zwischen dem stockenden Gähnen einer eben Erwachten drückte sie höfliches Erstaunen über die Nachricht von einem Stromausfall und höfliche Sorge angesichts des Überfalls auf den Sicherheitsmann aus. Weder das Gähnen noch die Überraschung noch die Sorge wirkten so ganz überzeugend.

Araujo räusperte sich auffällig, dann sagte er zu ihr: »Sie haben den Stromausfall also einfach verschlafen?«

»Mmm. Wäre auch ganz leicht gewesen, nicht?«

»Versteht sich. Aber sind Sie, seitdem Sie hierher zurückkamen, irgendwann draußen am Strand gewesen?«

Sie richtete große, unschuldige Augen auf ihn.

»Um diese Nachtzeit ist da draußen doch nicht viel zu sehen, oder?«

»Nein, das ist wahr.« Er warf mir einen Blick zu, der verriet, daß es ihn juckte, etwas loszuwerden.

Im Freien bekam er endlich Gelegenheit dazu.

»Sie hat gelogen. Sie war erst noch vor ganz kurzer Zeit am Strand.«

»Woher wissen Sie das so genau?«

»Die Flecken an ihrem Fuß. Gestern lief bei irgendeinem Schiff Öl aus, und der ganze Sand ist vollgespritzt. Wenn Sie da im Dunkeln herumlaufen, bekommen Sie ganz eindeutig solche Spuren ab. Keine Frage, daß sie gelogen hat.«

»Sie hätte auch Zeit genug gehabt, zu Daskalos hin und wieder zurückzugehen. Aber was ist mit Ihrem Mann im Bootshaus? Bestünde da nicht das Risiko, von ihm bemerkt zu werden?«

»Bei dieser Dunkelheit? Fast gar keines.« Er sagte blitzschnell etwas auf spanisch, dann schüttelte er reumütig den Kopf. »In der Übersetzung heißt das, daß ich früh in Pension hätte gehen sollen. Was für eine Nacht! Zuerst Mr. Calderon, dann Mr. Daskalos, nun sie. Und was kommt als nächstes?«

»Mr. und Mrs. Rountree«, sagte ich.

Aber nur Mrs. Rountree war zu Hause. Nach dem Bridge, sagte Belle, sei sie zum Bungalow zurückgegangen, während Scottie sich zu Sid und Lou bei deren Bemühungen um das Script gesellt hätte. Gleich zu Beginn des Stromausfalls hätte sie versucht, Riley am Telefon zu erreichen, aber dort sei ständig belegt gewesen. So hätte sie in Sids Wohnung angerufen und mit ihrem Mann gesprochen. Sie wollten dort das Ende abwarten, habe er ihr erklärt. Sie nehme an, daß sie schon wieder an der Arbeit seien. Und was, zum Teufel, sei eigentlich los? In New York sei man Stromausfälle ja gewohnt, aber hier unten –

»Wer hat sich gemeldet, als Sie Ihren Mann anriefen?« unterbrach ich sie.

»Er selbst.«

»Er hat an Kightlingers Apparat einen Anruf entgegengenommen?«

»Wenn Sid und Lou über dem Skript saßen, warum nicht?« fragte Belle gereizt zurück.

»Sie sagten, Sie hätten während des Stromausfalls angerufen. Sie meinen, die saßen im Dunkeln über dem Skript?«

Einen Augenblick lang geriet sie aus der Fassung, nahm sich aber schnell zusammen.

»Er könnte ja dem Telefon am nächsten gewesen sein. Was ist los, Sam? Hier geht es um mehr, als dem Auge auffällt, wie?«

»Ja. Der Stromausfall ist bewußt herbeigeführt worden. Und jemand hat einen Bewacher niedergeschlagen, um an die Schalter heranzukommen.«

»Mein Gott.« Sie schien verschiedene Gesichtsausdrücke auszuprobieren. »Und Sie wissen nicht, wer es ist?«

»Nein.«

»Na, offenkundig bin ich es nicht gewesen. Und wenn Scottie und Sid und Lou einander Gesellschaft geleistet haben...« Das verklang unsicher. Ihre Augen verengten sich. »Dieser Ausdruck auf Ihren feingeschnittenen Zügen, Sam. Sie denken doch nicht, daß ich nur billige Alibis verteile, oder?«

»Tun Sie das?«

»Nein, tue ich nicht. Aber erinnern Sie sich an das, was ich gesagt habe von jemandem, der im stillen tüchtig darüber lacht, wie Sie bei den falschen Pferden die Schmeißfliege spielen? Glauben Sie mir, er lacht sich jetzt halbtot.«

Das war es, was Araujo in der Kehle steckte, als ich mich in den Golfwagen zwängte.

»Jemand lacht über uns. Und sie ist eine kluge Frau«, sagte er. »Keiner weiß, ob nicht sie diejenige ist.«

»Nicht allein. Sie müßte mit jemandem zusammenarbeiten.«

»Natürlich mit ihrem Mann. Überlegen Sie, wie sie ihm sein Alibi verschafft hat. Glauben Sie wirklich, sie hat während des Stromausfalls mit ihm gesprochen?«

»Ob sie es getan hat oder nicht, es spricht alles dafür, daß sie jetzt mit ihm telefoniert und ihn einweiht. Wenn sie also gelogen hat, wird er vollauf präpariert sein, das zu decken. Jedenfalls steige ich bei Kightlingers Unterkunft aus und stelle fest, was dort vorgeht.«

»Ohne Entschuldigung«, sagte Araujo. »Ich muß meinen Hut vor ihnen ziehen. Sie nicht.« Er ließ den Wagen holpernd über die Platten rollen. »Mir hängt die ganze Geschichte zum Hals heraus. Und jetzt schwirrt auch noch eine geladene Kanone herum, weiß Gott wo. Und dieser letzte Brief an Mr. Daskalos. Weshalb, zum Teufel, hat er ihn mir gegeben, wenn er nicht will, daß etwas unternommen wird?«

»Gute Frage. Werden Sie morgen früh auch mit Quist sprechen?«

»Ja.«

Ich übergab ihm den Brief.

»Dann geben Sie ihm das für seine Sammlung. Ich fahre nach dem Frühstück mit Miss Riley zum Museum. Wir sehen uns, wenn ich wieder da bin.«

»Hatten Sie Gelegenheit, mit dem Chef über den Stromausfall zu sprechen, bevor ich Sie anrief?«

»Ja.«

»Wie hat er es aufgenommen? Keine« – Araujo winkte ab – »lassen Sie nur. Ich kann es mir vorstellen.«

»Was Sie sich auch vorstellen«, sagte ich, »es paßt ungefähr.«

* * *

Interessanterweise war der Sicherheitsmann nicht mehr an der Tür, als ich das Haupthaus betrat. Ich wartete geraume Zeit auf seine Rückkehr, bevor ich es aufgab.

Kightlingers Zimmer war eine einzige Wolke Tabakrauch. Kightlinger und Hoffman saßen an einem mit Papieren übersäten Kaffeetisch, Rountree in einem Lehnstuhl, angelegentlich mit seiner Pfeife beschäftigt. Keiner von ihnen schien überrascht davon zu sein, mich ohne Aufforderung hereinmarschieren zu sehen. Alle hatten unübersehbar ihre Rüstung angelegt und die Schilde in Bereitschaft.

Es war Kightlinger, der mir erklärte, ja, Belle hätte eben angerufen, um von meinem Besuch zu berichten und das vom Stromausfall und der Gewaltanwendung zu erzählen. Schrecklich. Menschenskind. Von Spaß könne da nun wohl wirklich nicht mehr die Rede sein. Er sprach. Die beiden anderen sahen mich ausdruckslos an und nickten ab und zu wie synchronisiert Zustimmung.

Ich ließ ihren Sprecher ausreden, dann fragte ich ihn: »Sind Sie alle während der ganzen Geschichte hier gewesen? Keiner ist zu irgendeiner Zeit weggegangen?«

Kightlinger sagte salbungsvoll: »Nun, Sie wissen, daß Scottie erst nach seiner Bridgerunde hier angekommen ist.«

»Das weiß ich.«

»Und seitdem ist niemand hier weggegangen. Nicht einmal für eine Minute.«

»Eine Minute würde nicht viel bedeuten«, sagte ich. »Zwanzig Minuten kämen der Sache schon näher.«

»Vergessen Sie's. Niemand ist weggegangen, um den Strom abzuschalten oder einem armen Kerl Beulen zu verpassen. Aber eines haben wir getan, Milano, außer hier zu sitzen und bei der harten Redigierarbeit zu schwitzen. Wir haben darüber nachgedacht, wer der Geheimnisvolle sein könnte. Wollen Sie wissen, auf wen wir gekommen sind?«

»Kann nicht schaden«, meinte ich. »Hilft vielleicht sogar.«

»Also gut, dann werfen Sie mal einen ordentlichen Blick auf Daskalos selbst.«

Statt dessen warf ich einen Blick auf Rountree, der vorgeblich einer der Bewunderer des Propheten war. Die Pfeife zwischen die Zähne geklemmt, blieb er ausdruckslos und ungerührt. Ich sagte zu Kightlinger: »Warum Daskalos?«

Er wirkte beleidigt.

»Überrascht Sie das?«

»Nein. Aber wenn Sie mir einen überzeugenden Grund dafür nennen können, daß er einen Hund umgebracht und einem

Mann fast den Schädel gespalten hat, könnte ich vielleicht überrascht werden.«

»Also gut«, sagte Kightlinger, »er hört Stimmen. Gott fordert ihn auf, das zu tun.«

Der leichenhafte, hohlwangige Regisseur wedelte mir mit dem Finger unter der Nase herum.

»Es gibt keinen Grund zum Lächeln, Milano. Ich hatte eine Weile mit Daskalos zu tun. Nehmen Sie mir ab, daß er echt ist. Nach materialistischen Maßstäben vielleicht nicht rational, aber wirklich echt. Er glaubt an das, was er predigt.«

»Warum dann seine Konzentration auf Leute aus dem Schaugeschäft?« sagte ich. »Warum schnitzt er sich nicht einfach eine Bettelschale und geht mit seiner heilbringenden Botschaft in die Welt hinaus?«

»Weil es diese Art von Welt nicht mehr gibt. Wollen Sie heute mit einer großen Botschaft landen? Dann wenden Sie sich damit an die passenden Leute.«

»Was heißen soll, daß er ganz da unten bei all den bösen Materialisten sitzt, wie?« sagte ich.

Rountree nahm den Ball auf.

»Das ist nicht ganz so klug, wie es sich anhört, Milano. Wie fast immer bei billigem Zynismus.«

Ich sagte: »Das werde ich mir merken«, und sah mir die drei der Reihe nach an. »Woran Sie alle denken müssen, ist, daß Mr. Daskalos, wenn er unser Poltergeist ist, das ganze Durcheinander nicht allein angezettelt haben könnte. Es muß also jemand geben, der ihm behilflich ist. Irgendeine Vorstellung davon, wer das sein könnte?«

Einer nach dem anderen schüttelte den Kopf.

»Nun«, sagte ich, »die Zimmernummer ist 28. Wenn Ihr Team die Antwort gefunden hat, nehmen Sie einfach den Hörer ab und geben Sie sie weiter.« Als ich ging, nickte ich ihnen jovial zu. Ich erntete als Antwort kein Nicken, weder ein joviales noch ein anders.

* * *

Ich holte Sharons Briefe aus meiner Jacke, hängte diese auf, zog die Schuhe aus und streckte mich auf dem Bett aus, um dort zu lesen. Ich wußte sofort, daß das nicht die richtige Art war. Es war ein Achtzehnstunden-Tag geworden, und jede einzelne dieser Stunden hängte sich an meine Lider und zog sie herunter. Ich brauchte sie nur einmal zu schließen, und das war's bis zum Wecken.

Während mein Körper gegen die grausame Behandlung protestierte, zerrte ich ihn vom Bett und durch das Zimmer vor die Kommode, wo der Ballonschwenker mit dem noch immer reichlichen Vorrat an Quists Privatmarke stand. Guten Kognak der Luft auszusetzen, das verminderte, wie ich feststellte, in keiner Weise seine Wirkung, jedenfalls dann nicht, wenn man die richtige Dosis zu sich nahm. Während ich dort stand, öffnete ich den Umschlag von Watrous & Co. mit dem Poststempel vom Juli – leicht getan, weil er schon aufgerissen war – und den Umschlag darin, der kaum mit einer einzigen Zungenbewegung zugeklebt worden war.

Augenblicklich stieg ein vertrauter, lockender, lähmender Duft in meine Nase.

Fleurs de Rocaille.

Ich erinnerte mich nicht, daß der Brief so parfümiert gewesen war, als ihn mir Shirley Glass in mein Büro gebracht hatte, aber da mochte ich mich irren. Wenn nicht – wenn er auf die größtmögliche Wirkung hin präpariert worden war –, handelte es sich hier wirklich um eine Gemeinheit. Um eine ganz große noch dazu. Denn die Wirkung mochte jetzt gerade vielleicht nicht die allergrößte sein, aber unbestreitbar war sie gewiß.

Sechs Blatt Büttenpapier, beide Seiten jedes Blattes mit kindlicher Schrift bedeckt. ›Liebster Johnny‹, begann das, um dann Seite auf Seite weitschweifiger Prosa die Argumente für unsere Wiedervereinigung darzulegen. ›Weißt du noch, wie es damals war?‹ tauchte häufig auf. ›Damals, als wir ins Dorf gingen… Damals, als wir uns unterhielten über... Damals, als wir die Matratze vors Feuer legten und...‹

Ich erinnerte mich. Ich erinnerte mich auch an das, was sie nur in einem Rückspiegel gesehen haben konnte: Kies, unter den Reifen ihres Jaguar hervorgeschleudert, der in mein nasses, fassungsloses Gesicht prasselte.

An einer Stelle, mitten in dem ganzen Gewirr von Erinnerung und Erklärung ihres derzeitigen schlimmen Debakels, kam sie gefährlich nah heran, einen großen Teil des Schadens zu beheben, den der Kies angerichtet hatte. Sogar nah an Poesie heran. ›Du hast mich dazu gebracht, daß ich mich in der Wirklichkeit fühlte, Johnny. Ich habe mich vorher nie in der Wirklichkeit gefühlt. Auch jetzt tue ich das nicht. Aber du hast das fertiggebracht.‹

Mein Griff, in dem ich die Lage hatte, wurde plötzlich glitschig. Ich verstärkte ihn mit einem kräftigen Schluck Kognak. Und mit einer harten Betrachtung des bezaubernden Ichs meiner Briefschreiberin.

Anscheinend war sie nie auf den Gedanken gekommen, Johnny könnte inzwischen einer anderen Frau seiner Wahl verbunden sein. Das stellte schon für sich genommen keine große Huldigung an mich dar. In Wahrheit sogar eine viel kleinere als jene, die Maggie Riley mir dadurch zukommen ließ, daß sie mir so geflissentlich auswich.

Da Mrs. Quist und ich das Thema des Briefes in den vergangenen eineinhalb Tagen ziemlich gründlich durchgenommen hatten, enthielten die ersten zehn Seiten jedoch keine echten Überraschungen. Dann kam Seite 11.

Sie wollte ein Kind haben. Nicht Andrews Kind, denn das würde alles nur noch schlimmer machen, als es ohnehin schon war. Mein Kind.

Ich erschreckte mich damit, daß ich verärgert und ganz laut sagte: »Ach, Herrgott noch mal, Sharon!«

Mein Kind. Warum sich wehren?

Sie wollte nach New York kommen und bei mir einziehen, und wir würden ein Kind bekommen. Sonntags, wenn ich nicht unterwegs sei, mit Hehlern von der Sorte meines Freundes

Hennig verhandelnd, würden wir uns dabei abwechseln, es durch den Central Park zu schieben. Einmal in der Woche würde sie natürlich Andrew anrufen, um sich zu vergewissern, daß er seine Ruhepausen einhielt und es mit dem Jacuzzi nicht übertrieb.

Wie sie es schon in einem früheren Absatz ausgedrückt hatte, sie fühlte sich nicht in der Wirklichkeit. Ich mich auch nicht.

Der andere Brief, datiert vom Dezember, hatte wenigstens ein Bein auf dem Boden. Bloße vier Seiten lang, eröffnete er mit einer gebremsten Beschimpfung, weil ich die vorangegangene Botschaft ungelesen zurückgeschickt hatte. Dann kam ›Der Plan‹. Sie sei am Ende, ich der einzige, der ihr helfen könne, und sie müsse mich sofort sehen. In der Weihnachtswoche finde auf dem Besitz eine große Festlichkeit statt, die ganze Woche über wären viele Leute anwesend, und wenn ich einfach als ihr Gast erschiene, würden wir uns ab und zu im geheimen treffen können. Bei den vielen Leuten. Also, bitte, schreib nicht, ruf nicht an, unternimm überhaupt nichts, komm einfach. Und am Tor sollte ich einfach nach ihr fragen.

Unterzeichnet, für den Fall, daß ich die Art der Einladung nicht begreifen sollte, mit ›Deine Sharon‹.

Nun, es haben schon klügere Leute dümmere Pläne geschmiedet. Ich hätte vorgestellt werden können als das, was ich war, ein alter Bekannter, der einmal mit dazu beigetragen hatte, ein berufliches Problem für sie zu lösen. In diesem Getümmel von weihnachtlichen Nassauern – achtzig Mann stark, hatte Araujo gesagt – hätte ich untertauchen können. Auf dem Besitz hätte es keine bezahlten Aufpasser gegeben, die über die Schulter der Dame blickten; ein Streitpunkt mit ihrem Mann, bei dem sie gewonnen hatte. Was die versprochene Zweisamkeit anging, so mochte die Jagd danach etwas von einer französischen Kleinbürgerfarce an sich haben, aber alles konnte man ja wohl nicht verlangen, oder?

Ich verbrannte beide Briefe im Kamin, bis sie pulverisierte Asche waren.

Und ich träumte eine ganze Serie von Träumen, die alle an verschiedenen Ausgangspunkten begannen und alle am selben aufhörten: Maggie Riley war kugelbauchdick mit meinem Kind und fuchsteufelswild darüber.

Im hellen Morgenlicht jedoch, als ich Maggie vor dem Haus traf, wo ihr Fahrzeug erscheinen sollte, erwies sie sich – ließ man eine sanfte und erfreuliche weibliche Rundung des Bauches unmittelbar unterhalb ihres Hosenbunds außer acht – dort, wo es zählte, als befriedigend platt. Und in der Stimmung, sich zu unterhalten. Sie hatte eben an der Besprechung teilgenommen, bei der Araujo Quist beschrieben hatte, was während der Bungalow-Besichtigung vorgegangen war. Was sich abgespielt hatte, nachdem ich von Araujo weggegangen war. Ob ich mit Sid und Scottie und Lou gesprochen hätte?

Das bestätigte ich.

»Und?«

»Und sie tippten alle auf Daskalos.«

»Wirklich?« sagte Maggie. »Wissen Sie, Virgilio fängt langsam selber an, sich Gedanken zu machen. Darüber, ob Kalos das alles nicht auf irgendeine Weise inszeniert und die anderen dazu gebracht hat, mitzuwirken. So verrückt das auch klingt.«

»Verrückte Dinge führen zu verrückten Theorien. Konnte Araujo für dergleichen einen Grund angeben?«

»Nein, aber da ist diese neue Botschaft, die Kalos aus seinem Zylinder gezaubert zu haben scheint.« Sie zog die Brauen zusammen. »Was diese Mitteilung angeht, glauben Sie, daß sie zur selben Zeit geschrieben worden ist wie die anderen?«

»Vermutlich.«

»Freut mich zu hören. Jedenfalls ist da die Art, wie Kalos die Nachricht präsentiert hat. Und daß Holly Lee ihn während des Stromausfalls besuchte –«

»Dafür gibt es keinen konkreten Beweis.«

»Virgilio glaubt, daß sie es getan hat. Sie nicht?«

Ich hob die Schultern.

»Wenn man Hinz und Kunz und Kightlinger hört, gewinnt man den Eindruck, daß sie alle auf Daskalos zeigen, während sie in Wirklichkeit Calderon meinen.«

»Mike?«

»Mike. Er hat guten Grund, es Daskalos besorgen zu wollen. Und er war dem Tatort gestern nacht abscheulich nah. Wenn er sich als der Bösewicht erweist, sieht Kightlinger sein Filmpaket in Rauch aufgehen. Also vergattert er alle, um Daskalos zu belasten.«

Maggie äußerte sich dazu nicht, als der Wagen gebracht wurde und sie sich ans Steuer setzte. Wir waren die Straße ein gutes Stück hinuntergefahren, bevor sie ihr Schweigen brach.

»Virgilio sagte, Sie hätten es selbst mit Kalos schwer gehabt, als Sie dabei waren. Worum ging es da?«

»Ach, das. Der Messias fing an, sich über mich und Sharon auszulassen, und Araujo hörte mit gespitzten Ohren zu. Kein Problem. Es gelang mir, Daskalos zum Schweigen zu bringen, bevor er Schaden anrichten konnte.«

»Sind Sie sicher?«

»Ja. Jedenfalls werde ich, wenn man mich fragt, welche Frau ich vom rechten Weg abzubringen versuchte, einfach sagen, das wären Sie gewesen.«

»Herzlichen Dank. Aber was ist mit dem Stromausfall? Weshalb sollte den jemand gewünscht haben? Wer immer es auch gewesen sein mag.«

»Mit Bullenlogik gesehen, wollte der Betreffende eine geladene Schußwaffe in die Hände bekommen. Natürlich könnte Logik das Irreführendste sein, was man in diesem Fall anwenden kann.«

»Das ist eine große Hilfe«, meinte Maggie.

Die Villa, welche die ›Sammlung Quist‹ beherbergte, war nicht so groß, wie ich erwartet hatte, aber groß genug. Zweistöckig, Stukkaturen, überdacht mit spanischen Dachziegeln. Im Inneren waren die sichtbaren Aufseher offenkundig erstklassige Leute, robust, flott uniformiert und tüchtig aussehend. Quists Steueranwalt wartete im Vorraum. Maggie stellte mich als einen Freund der Familie vor, dann ging sie mit ihm eine Treppe hinauf und überließ es mir, die Sammlung nach eigenem Gusto zu besichtigen.

Wie sich herausstellte, hatte ich Zeit genug, sie durchzugehen, von Courbet bis Gauguin. Es war eine in der Zeit erstarrte Sammlung, zweite Hälfte des neunzehnten Jahrhunderts, ungefähr drei Dutzend Ölbilder und zwei Ballerina-Bronzefiguren von Degas, aber in jeder Beziehung großartig, nicht ein einziger Ausfall. Und natürlich gab es die Freude, Meisterwerke zu entdecken, die ich nie zuvor gesehen hatte, nicht einmal als Reproduktionen. Zum Beispiel Maggies Lieblingsstücke, die beiden van Goghs. Eines war ein Selbstbildnis, das nicht lange nach der Sache mit dem Ohr gemalt worden sein mußte; das Halstuch, das als Verband diente, verbarg die Stelle mit dem abgetrennten Ohr; die Augen blickten ruhig in die des Betrachters. Niemand wußte, ob das Modell nicht über die Art nachdachte, wie es die Sünden Jack the Rippers gesühnt hatte.

Ich machte ein paarmal die Runde durch die Hauptgalerie, bevor ich die Tür am anderen Ende ausprobierte und mich in einem kleinen Leseraum fand. Reihen von in Leder gebundenen Büchern und an einer freien Wand ein Bild, das nichts mit irgendeinem der anderen hier zu tun hatte: ein Porträt von John Singer Sargent, lebensgroß, von einer jugendlichen, gutaussehenden Dame in Hemdbluse und bodenlangem Rock. Schon bevor ich die Inschrift auf der Messingplatte las, erriet ich, daß das etwas mit der Familie zu tun haben mußte, und so war es auch: Mary Henrietta Lucas Quist; vermutlich Quists Mutter.

Als Maggie endlich auftauchte, bestätigte sie, daß Mary Henrietta wirklich Quists hochverehrte Mutter sei und eine Menge altes Bostoner Geld darstelle. Aber selbst elegantester Sargent interessierte Maggie offenkundig nicht im geringsten. Also zurück zu ihrem Vincent und einem Vortrag über ihn, den ich, als meine Füße zu schmerzen begannen, mit der Frage unterbrach, wie denn die Sache mit dem Anwalt gelaufen sei.

Sie schüttelte den Kopf.

»Nicht gut. Er hatte eine meilenlange Liste der Erfordernisse, die wir erfüllen müßten, um Steuerbefreiung zu erlangen. Einschließlich einer Öffnung für das Publikum auf begrenzter Grundlage.«

»Und darauf läßt Quist sich nicht ein?«

»Überhaupt nicht. Auf keinen Fall. Ab und zu ein beglaubigter Gelehrter, okay. Nicht die Öffentlichkeit mit gebuttertem Puffmais.«

Ich sagte mitfühlend: »Und Sie stehen mittendrin im Schlamassel.«

»Hübsches Wort«, meinte Maggie. »Man hört es in dieser Gegend nicht oft. Aber ich stehe da voll und ganz auf Andrews Seite. An die Öffentlichkeit gehen, heißt, am Schaugeschäft teilnehmen. Jeden Monat eine neue Ausstellung mit Leihgaben organisieren. Fingerfarben-Lektionen für die Kleinen. Lichtbildervorträge für Leute, die sich den Teufel um Kunst scheren, aber bei Cocktailparties darüber reden wollen. Das bedeutet es heute, Kurator zu sein. Nicht meine Richtung.«

»Mag sein. Aber wenn Sie motiviert sind, können Sie wirklich eindrucksvolle Vorträge halten.«

Ihr Gesicht rötete sich.

»Na, ich vermenge Sie nicht mit der Öffentlichkeit im allgemeinen. Sie sind hier, nicht wahr? Und weil es mir eben einfällt, Sie sagten, ein Grund, warum sie mitkommen wollten, sei der, daß Sie mir eine Frage zu meinem Buch stellen wollten. Welche Frage war das?«

Ich überlegte hastig.

»Was hat Sie zu einem Zusammenhang zwischen van Gogh und Jack the Ripper geführt? Wo fing das an?«

Sie sah mich vorwurfsvoll an.

»Sie machen mir etwas vor, Milano. Das ist entschieden ein Punkt, nach dem man nicht fragt.«

»Auf frischer Tat ertappt. Aber da es nun schon einmal auf dem Tapet steht, macht mich die Antwort neugierig. Nämlich?«

»Auf einer Zusammenkunft von Emanzen. Vor ungefähr sieben oder acht Jahren. Da gab es eine Rednerin – na ja, ich gebe zu, sie war ein bißchen outriert – zum eingewurzelten Sadismus des Mannes beim Umgang mit der Frau. Sie gebrauchte die Morde Jack the Rippers als das klassische Beispiel. Als sie die Daten erwähnte, fiel mir plötzlich auf, wie sie zu Vincents Krise paßten. Das war's.«

»Aus dem Mist erwachsen oft herrliche Blumen«, meinte ich.

»Sehr poetisch. Um bei der Prosa zu bleiben: Wie wär's, wenn Sie mir eine Firma in Paris empfehlen könnten, die Nachforschungen für mich übernimmt und gleichzeitig nicht gleich die Bank sprengt?«

»Wie wär's mit einem frühen Mittagessen hier irgendwo? Wenn ich da die Empfehlungen gebe, ist es ein Arbeitsessen. Von der Steuer absetzbar.«

»Nein.«

»Quist hat Sie aufgefordert, mit mir zusammenzuarbeiten, nicht wahr?«

»Ja, aber er hat nicht –«

»Die feinen Auslegungen können Sie sich sparen. Arbeiten Sie einfach mit mir zusammen. Das Lokal suchen Sie aus.«

Es erwies sich als ein Kettenlokal von Kentucky Fried Chikken.

Bei getrennter Kasse, versteht sich.

* * *

An der Garage nahm Maggie den Linien-Golfwagen zum Haupthaus, und ich machte einen Spaziergang die Treppe hinauf zur Sicherheitszentrale. Araujo, hohläugig und in galliger Stimmung, war dort allein und tröstete sich mit einem Meterbrot und einer Flasche Bier. Ich berichtete von meinem Gespräch mit Kightlinger und Konsorten; Araujo schilderte mit vollem Mund die Suche nach der verschwundenen Schußwaffe. Dienstgebäude und Garagenbereich seien bereits durchkämmt worden. Derzeit suche eine Abteilung das Gebüsch an den Wegen ab. Ach ja, und als Mr. Calderon im Morgengrauen zurückgekommen sei, habe er – nicht sehr freundlich – seine Person ebenso wie seinen Wagen einer gründlichen Durchsuchung unterziehen lassen. Bis jetzt keine Waffe.

Ich sagte, das sei keine Überraschung. Was verwundere, sei dagegen die Art, wie unsere Filmleute sich jetzt gemeinsam gegen Daskalos stellten. Der Leiter der Sicherheit habe Miss Riley gegenüber sogar selbst seinen zunehmenden Argwohn gegen den Herrn erwähnt. Wie es damit stehe?

Araujo sagte gereizt: »Ich weiß. Sie sind als erster auf die Idee gekommen. Nun ja, jetzt fängt sie erst an, Sinn zu bekommen.« Er lehnte sich weit zurück, um die Bierflasche in seinen Händen zu leeren, dann stellte er sie krachend auf den Schreibtisch. »Verdammt noch mal, sehen Sie sich an, wie sie einander entlasten. Auf diese Weise lassen Sie uns im Kreis herumtanzen. Sie spielen mit uns. Und Daskalos muß derjenige sein, welcher an den Fäden zieht.«

Jetzt heißt es Daskalos, fiel mir auf, nicht Mr. Daskalos. Eine offizielle Degradierung.

»Ich habe den Eindruck, daß manche von diesen Fäden einfach zurückzucken würden«, sagte ich.

»Na und?« Araujo beugte sich vor, die Ellenbogen auf dem Tisch, die Hände weit ausgebreitet. »Hören Sie, ich will Ihnen meine Lage schildern. Alles geschieht nach Plan, wer immer ihn auch aufgestellt haben mag. Und aus welchem verrückten Grund das auch geschehen sein mag. Bis Mitternacht sollte also alles vorbei sein, weil der Plan das so vorsieht. Dann geht morgen früh die Sonne auf, und alle Mann tun so, als sei das alles nie passiert. Ein einziger großer Witz. Richtig?«

»Ein ziemlich schlechter Witz.«

»Sehr schlecht. Nun besteht die Aufgabe darin, ihn nicht noch schlimmer werden zu lassen. Heute abend jeden einzelnen festnageln und dafür sorgen, daß er festgenagelt bleibt.«

»Aber wie?«

Araujo sagte zufrieden: »Meine Idee, und der Chef hat sie gebilligt. Er wird nach dem Abendessen einen von Mrs. Quists Filmen vorführen. Das bringt uns direkt über die Frist hinaus. Und alle, bis auf Daskalos, werden beieinander sitzen.«

»Und bis auf Calderon.«

»Er wird da sein. Der Chef hat sich mit ihm auseinandergesetzt. Mit allen. Getränke und Toiletten stehen zur Verfügung. Inzwischen leisten Sie Daskalos engste Gesellschaft. Dabei gibt es natürlich ein Problem: Es wird ihm nicht passen.«

»Möglich.«

»Wie wäre es dann, wenn ich mich Ihnen anschließen würde? Das könnte dazu beitragen, die Temperatur zu senken.«

Ich schüttelte den Kopf.

»Sie sollten dort nicht festkleben.«

»Ich kann leicht –«

»Nein. Ich übernehme Daskalos, Sie behalten die anderen im Auge. Dabei fällt mir etwas ein: Ihr Mann am Eingang zum Haupthaus war nicht auf seinem Posten, als ich gestern spät nachts zurückkam. Was ist aus ihm geworden?«

Araujo knurrte in, wie mir schien, müder Resignation.

»Während des Stromausfalls holte Mrs. Quist ihn herein, damit er mithalf, den Chef aus dem Jacuzzi zu befreien. Als das erledigt war, wies sie ihn einfach an, das Haus zu verlassen. Kein Job mehr an der Tür.«

»Und Quist ließ ihr das durchgehen?«

»Ich habe Ihnen schon gesagt, wie sie in diesen Dingen ist. Sichtbare Sicherheit. Aber der Chef gab sich nur diplomatisch. Heute früh ließ er mich insgeheim wissen, daß ich, wenn der Film läuft, einen Mann an die Tür stellen kann. Diplomatie, verstehen Sie?« Araujo grinste breit. »Als ich klein war, gab es einen ganz bekannten Calypso. Bekannt sogar in den Spelunken von Havanna. ›Heirat' immer eine Frau, die häßlicher ist als du.‹ Guter Rat, was? Vor allem dann, wenn du nicht dein ganzes Leben damit verbringen willst, deiner Frau gegenüber diplomatisch zu sein.«

»Sehr guter Rat. Haben Sie ihn selbst befolgt?«

Er lachte.

»Quatsch, nein. Welcher Mann tut das?«

Nicht Andrew Quist. Soviel stand fest.

* * *

Als ich das Haupthaus betrat, kam man einzeln den Korridor vom Speisezimmer entlang. Calderon, in Tenniskleidung, zwei Schläger unterm Arm, den anderen um Holly Lees Hüfte gelegt – wenn Sharon nicht greifbar war, genügte offenbar die Taille jeder gerade anwesenden Frau – und hinter den beiden Kightlinger und Lou Hoffman in vertrautem Gespräch, während Belle Rountree und ihr Scottie den Schluß der kleinen Kolonne bildeten.

Als die Prozession zur Tür hinauszog, drehte Belle sich auf dem Absatz um und kam in meine Richtung zurück.

»Ich möchte mit Ihnen reden, Sam.«

»Gern. Meine Wohnung ist Ihre Wohnung.«

»Nein, nur für einen Augenblick.« Sie hatte die Schminke nachlässig aufgelegt; die Demarkationslinien waren an ihrem Unterkiefer deutlich erkennbar. Sie sah mich von oben bis unten an. »Der Prophet scheint also endlich auf Granit gestoßen zu sein.«

»Daskalos?«

»M-hm. Er scheint gestern nacht bei Ihnen plötzlich aufs hohe Roß gestiegen zu sein, und Sie haben ihn glatt heruntergehauen.«

»Wie haben Sie denn das vernommen?«

»Ach, von König Andrew selbst. Als er die Grundregeln für Spaß und Unterhaltung heute abend festlegte. Sie wissen doch, daß er der Meinung zuneigt, unser Prophet sei der Schuldige, nicht wahr? Was zufälligerweise genau die Richtung ist, in die wir anderen jetzt auch alle tendieren.«

»Ihr Mann eingeschlossen? Und Holly Lee?«

»Scottie hat trotz einer Neigung zum Mystischen seine logische Seite. Holly Lee schwankt noch. Das addiert sich alles zu einer sehr beachtlichen Leistung für Sie zusammen, Sam. Andrew hat wissen lassen, daß Sie von dem Augenblick an, als Sie hier auftauchten, den Propheten starr in Ihrem Visier gehabt hätten.«

»Ich schüttelte den Kopf.

»Der gefährlichste Fehler in diesem Augenblick –«, und Belle fuhr auf: »Ach, hören Sie doch auf, so vorsichtig zu sein. Kalos ist es, und das wissen Sie. Sie kennen ja in Wahrheit den Saukerl viel besser, als Sie haben verlauten lassen.«

»Sie sind mir weit voraus, Mrs. Rountree.«

»Bin ich das? Dann schalten Sie hoch und holen Sie auf. Daskalos ist für Sie kein Fremder. Vor drei Jahren haben Sie nämlich für Sharon Bauer einen streng geheimen Fall geregelt, und da müssen Sie auf ihn gestoßen sein. Und ihn als das erkannt haben, was er war. Aus diesem Grund kannten Sie sich mit ihm sofort aus, als Sie hier eintrafen. Das ganze Privatschnüffler-Gehabe, das Sie an den Tag legten, ist also nur fürs Auge, nicht?«

»Ein Teil davon«, sagte ich. »Nicht viel.«

Sie wußte im Augenblick nicht, was sie sagen sollte. Dann meinte sie: »John Milano, die Ehrlichkeit in Person. Also gut, wie ist es mit einer ehrlichen Antwort darauf?« Ihre Stimme wurde hart. »Decken Sie Daskalos? Vielleicht der Sharon Bauer-Effekt? Sie ist begeistert von ihm, und Sie wollen diese hübschen Augen nicht in Tränen sehen?«

»Mrs. Quist und ich –«

»Ach, kommen Sie mir nicht mit diesem Mrs. Quist-Käse. Sid Kightlinger hat gesagt, bevor sie sich Quist angelte, sei sie bekannt dafür gewesen, sich von allen bumsen zu lassen, die daherkamen. Und da waren Sie und holten Sie persönlich aus weiß-Gott-welchem Dreck heraus. Wollen Sie behaupten, daß sie dabei ein appetitliches Angebot wie Sie verpaßt hat?«

»Ich weiß das Kompliment zu schätzen. Ich glaube nicht, daß Mrs. Quist das auch tun würde.«

»Das ist keine Antwort.«

»Wie wäre es dann, wenn Sie es mit der Frage bei Mike Calderon versuchen würden?« sagte ich. »Er war für die Dame mehr als verfügbar, als sie ihren Film miteinander drehten. Sind nicht Sie diejenige gewesen, welche mir erzählt hat, es hätte ihm überhaupt nichts genützt?«

»Vermutlich, weil er ihr zuwider war. Ich weiß, daß es mir mit ihm so geht. Das ist also noch immer keine Antwort.«

»Hören Sie«, sagte ich, »was Sie von mir wollen, ist, daß ich Daskalos das anhänge. Dann geht der Film durch, ohne daß er seinen Fluch darauf legt. Richtig?«

»Mit einem kleinen Zusatz, Sam. Nach allem, was ich höre, hätten Sie ihn gestern abend beinahe selbst erledigt. Das verleiht mir das Gefühl, daß Sie ihn ebenso hassen wie ich. Warum sagen Sie also nicht zu Quist, er soll ihn sofort kippen? Warum warten? Solange Sie bei ihm sind, wird ihm heute abend nichts geschehen. Das geht gar nicht.«

»Und morgen wird er hier fester etabliert sein als je zuvor.«

Belle sagte mit Befriedigung: »Jetzt haben Sie sich eingeschossen, Sam.«

»Gerade rechtzeitig, um wieder auszusteigen, Mrs. Rountree.«

In meinem Schlafzimmer ging ich sofort zum Kognak auf der Kommode, wurde aber von einem Zettel auf dem Schreibtisch gebremst. Ungeschickt mit Bleistift hingekritzelt stand da: ›Mr. Milano, bitte Miss Glass in N.Y. anrufen.‹

Ich rief an, und als Shirley sich meldete, sagte ich: »Hier spricht John Milano, Miss Glass«, wobei die Förmlichkeit die Warnmethode von Watrous & Co. war, daß andere Ohren mithören möchten.

Shirley sagte: »Ich wollte mich noch einmal erkundigen, wann Sie zurück sind, Mr. Milano. Da sind die Verabredungen für Montag, die ich verschoben habe. Soll ich sie endgültig auf morgen nachmittag legen?«

»Ja.«

»Wir sehen uns dann, Mr. Milano. Ach übrigens –« sie parodierte Sekretärinnenwürde – »Ihre Schwester hat uns heute früh wieder einen Armenrechtsfall geschickt. Zum üblichen Honorar von dreihundert Dollar. Und Mr. Watrous war sehr nett. Hatte überhaupt keine Einwände, daß wir das übernehmen.«

»Bedanken Sie sich für mich bei ihm«, sagte ich. »Aber nicht leidenschaftlich.« Ich legte auf, ging zur Kommode und leerte das Kognakglas, gluck-gluck. Dann wog ich den leeren Schwenker in der Hand und schätzte die Entfernung zur anderen Wand ab. Ich faßte mich rechtzeitig. Nach Gefühl, Aussehen und Geräusch, als ich mit dem Fingernagel ›ping‹ daran machte, war das Baccaratglas.

Statt dessen nahm ich – nach kurzer Überlegung, und während der Kognak seine angenehme Wirkung tat – das Glas, das Buch über Jack the Ripper und Quists Senatoren-Bademantel und schleppte die Ladung hinunter zu Maggies Büro. Sie tippte eifrig, hörte aber mit dem Schreiben auf, um mich und meine Lieferung zur Kenntnis zu nehmen.

»Die Mühe hätten Sie sich nicht zu machen brauchen, Milano. Jemand vom Personal hätte sich darum gekümmert.«

»Keine Mühe.« Ich stellte das Glas auf einen Tisch, legte den Mantel dazu und schob das Buch an seinen Platz im Regal. Im Fach darunter, bei den Reisebüchern, gab es Lücken.

»Was ist aus dem neuen Buch über Bligh und die ›Bounty‹ geworden?« fragte ich.

Maggies Finger schwebten über der Tastatur.

»Wenn es nicht da ist, hat Andrew es vielleicht. Er macht jetzt sein Nickerchen, aber später –«

»Nein.« Ich machte es mir im Sessel vor dem Schreibtisch bequem. »Vermutlich könnte ich das Buch selber schreiben. Das erste Buch für Erwachsene, das mir wirklich etwas sagte, war die alte ›Meuterei auf der Bounty‹ von Nordhoff und Hall. Danach las ich alles über Bligh und seine lustigen Leute, was ich finden konnte. Errang in der New Utrecht-Oberschule einen Aufsatzpreis, als ich alles zusammenstellte.«

»Gut für Sie. Wenn es Ihnen jetzt nichts ausmacht –«

»Ich habe beide Filme je ein halbes dutzendmal gesehen«, sagte ich. »Den mit Gable und den mit Brando. Wollen Sie etwas wissen?«

»Nein.«

»Nun, der mit Brando fiel durch, aber zu Unrecht. Er war viel authentischer als der mit Gable.«

Maggie nahm ihre Hände von der Schreibmaschine.

»Milano, können Sie nicht sehen, daß ich zu arbeiten versuche?«

»Also gut«, sagte ich, »keine Unterhaltung mehr. Ich bleibe einfach sitzen und ersehe Sie in tödlichem Schweigen.«

»Nein, das werden Sie nicht tun.« Sie sah mich mit verengten Augen an. »Sind Sie voll?«

»Nicht zu sehr. Nur so viel, daß ich mich in Ihrer Gesellschaft unbeschwert fühle.«

»Ich dachte mir schon, Sie wirken ein wenig angeknackst. Nun, ob voll oder nicht, ich fühle mich nicht unbeschwert.« Sie wirkte nun wirklich zornig. »Also gehen Sie! Auf der Stelle!« Sie schrieb entschlossen weiter, ich ging bedauernd zur Tür. Das Klappern hörte plötzlich auf. »Warten Sie einen Augenblick, Milano. Wegen dem Abendessen heute. Wollen Sie wieder neben Belle sitzen?«

»Unter keinen Umständen.«

»Oh? Ist die Romanze schon vorbei?«

»Weit gefehlt«, sagte ich. »Ich will sie nur herunterkurbeln, bevor sie außer Kontrolle gerät. Ich habe andere Eisen im Feuer. Und auch andere Kentucky Chicken.«

Aber sie hämmerte schon wieder mit gepreßten Lippen auf die Schreibmaschine ein.

* * *

Um das Angeknackstsein zu beseitigen, duschte ich kalt – ein gellender Schrei, und das Schlimmste war vorüber. Dann ließ ich im japanischen Stil die Wanne so heiß vollaufen, daß alles Glas im Badezimmer beschlug. Da ich keine Lektüre hatte, begnügte ich mich mit der vom Haus zur Verfügung gestellten Autokarte von Miami und Umgebung und bewunderte die unwahrscheinlichen Namen einiger Ortschaften – vor allem Opa-locka –, bis mir zum Bewußtsein kam, daß ich nicht allein war.

Ich ließ die Karte sinken, und in den Dampfschwaden stand,

wie Venus in der Muschel, Mrs. Quist.

Und sie war nicht in der Stimmung für hinhaltendes Geplänkel.

»Hast du meine Briefe gelesen, Johnny?«

»Menschenskind«, sagte ich, »ist dir nicht eingefallen, daß, wenn du hier einfach so hereintanzen kannst, es auch ein anderer tun könnte?«

»Ich habe die Wohnungstür abgesperrt. Hast du sie gelesen, Johnny? Vor allem den ersten?«

»Ja.« Wenn sie zu entfernen war, dann nur mit einer festen Hand, die sie hinaustrieb. Ich stieg aus der Wanne und begann mich mit einem Handtuch zu bearbeiten. »Wir unterhalten uns später darüber, Sharon.«

»Nein. Und du machst dir nicht wirklich Sorgen, daß jemand hereinkommen könnte. Nur darum, wie es zwischen uns steht. Du weißt, daß das vernünftig ist, was ich in meinem Brief geschrieben habe, und willst es nicht zugeben.«

»Daß ich erwählt bin, dein Kind zu zeugen? Sharon, das ist nicht vernünftig, das ist nur schlechte Komödie.« Ich ging ins Schlafzimmer und begann mich anzuziehen. Sie folgte mir, setzte sich und faltete die Hände im Schoß. Unverrückbar. Sie sagte: »Von Biologie hast du keine Ahnung, wie?«

»Biologie?«

»Ich bin sechsundzwanzig. Sehr bald wird es für mich zu spät sein, ein Kind zu bekommen. Und ich will eines. Aber es kann nicht von Andrew sein. Es muß von jemandem sein, mit dem ich es gemeinsam haben will. Ich bitte dich ja nicht, mich zu heiraten, oder?«

Ausreichend bekleidet, ging ich ins Wohnzimmer und sperrte die Tür auf. Sharon kam mit. Wieder ließ sie sich mit gefalteten Händen auf einem Sessel nieder. Noch immer unverrückbar.

»Schau, ich will unsere Beziehung in ganz einfacher Sprache schildern«, sagte ich. »Ich habe einen Fall für deinen Mann übernommen. Das ist unsere Beziehung.«

Ihre Augen begannen zu schimmern.

»Das glaube ich nicht.« Ihre Stimme, noch heiserer als sonst, hatte jetzt das kleine Stocken für die Kasse. »Ich weiß, daß du mich gehaßt hast, als ich in England übergeschnappt bin. Aber seit du das begreifst, tust du es nicht mehr. Du hast nur Angst, es könnte wieder so kommen. Das wird nicht der Fall sein, Johnny.«

»Es wird keine Gelegenheit dazu bekommen. Aber vergiß England. Begreif nur endlich, wie mir dabei zumute ist, daß ich so raffiniert hierhergesteuert worden bin. Daß ich in diese verrückte Lage gebracht worden bin. Daß Araujo den Auftrag erhielt, seine Sicherheitsleute weit von dir entfernt zu halten, damit du mit mir im geheimen deine Zukunft ausarbeiten kannst. Und was ist mit deinem Guru? Du bist bereit, ihn abzusägen, aber nicht, solange er als Ausrede dienen kann, mich hier festzuhalten. Verdammt, ich habe Maggie erklärt, du manipulierst nicht, aber jetzt –« Ich betätigte die Bremsen zu spät. Sharon sagte aufgebracht: »Du hast mit ihr über mich gesprochen.«

»Nicht mehr, als du mit ihr über mich.«

»Das ist nicht dasselbe! Sie empfindet dir gegenüber nicht wie ich!«

»Himmel noch mal, beruhige dich«, sagte ich, »oder man hört dich unten auf Key West. Ich bin dienstlich hier. Alles, worüber ich mit Maggie gesprochen habe, hatte mit meiner Aufgabe zu tun.«

»Mich eingeschlossen? Bist du deshalb heute früh mit ihr weggefahren? Damit du sie in ein Motel mitnehmen konntest, um sie zu fragen, ob sie es war, die den Hund getötet hat? Und den Mann auf den Kopf schlug?«

Ich sagte müde: »Du weißt es besser.«

»Ich will dir sagen, was ich weiß. Daß ich dich nicht hierherbugsiert habe. Daß Andrew und Virgilio unaufhörlich von jemandem sprachen, der untersuchen könnte, was hier vorgeht, und trotzdem den Mund hält. Und daß ich schließlich dich erwähnt habe. Das ist alles. Und ich will keine Bewacher herumstehen haben, die mich beobachten, weil ich genug davon habe, daß alle jede Bewegung verfolgen, die ich mache.« Sie legte die Handkante an ihre Kehle. »Ich habe es bis hier oben, verstehst du? Und ich werde Kalos sagen, daß ich keine Gläubige mehr sein kann, wenn es an der Zeit ist. Und es ist nicht an der Zeit, solange jemand versucht, ihn umzubringen.«

Ich sagte beruhigend: »Ja, natürlich. In dieser Hinsicht ergibt es einen Sinn, wirklich.«

Sie wirkte zweifelnd.

»Ist das dein Ernst?«

»Ja. Es ist nur so, daß das hier zur Zeit ein Dampfkessel ist. Wir schießen emotionell alle aus der Hüfte. Aber wenn man vernünftig über die Dinge spricht, anderswo, ein andermal –«

»Morgen. In New York.«

Irgendwo mußte ich eine Grenze ziehen.

»Nein, das ist unvernünftig.« Die Augen kündigten wieder Sturmwetter an. Ich sagte: »Sei fair, Sharon. Du hast mich nie nach persönlichen Beziehungen gefragt, die ich in New York haben könnte, und das hättest du tun sollen. Denn so ist das nun einmal, und mit einem Tag Frist läßt sich das nicht lösen. Oder auch«, fügte ich mit Betonung hinzu, »nicht innerhalb von zehn Minuten, wie das manchmal im fröhlichen alten England gemacht wird.«

Sie wirkte beschämt.

»Du weißt nicht, wie oft ich über diesen Tag nachgedacht habe, Johnny. Aber jetzt nicht mehr. Bitte, sprich nie mehr davon.«

»Abgemacht. Dein Beitrag dazu besteht darin, nichts zu sagen oder zu tun, was mir die Dinge im Augenblick erschweren könnte. Ich habe hier diesen Irren-Fall, ich habe Verpflichtungen in New York –«

»Nur in New York? Bist du sicher, daß hier mit einer von den Eingeborenen nichts vorgeht?«

»Nichts. So wahr mir Gott helfe.« Ich ergriff ihre Hand und zog sie vom Stuhl hoch. Körperberührung sorgfältig vermeidend, steuerte ich sie zur Tür. »Vergiß nicht«, riet ich, »es kommt nicht darauf an, wie schnell man fährt. Was zählt ist nur die Richtung, in der man unterwegs ist.«

Sie zeigte mir ein Lächeln.

»Jetzt sprichst du wie Kalos, Johnny. Ich sehe dich beim Essen.«

Zehn Minuten später läutete das Telefon. Maggie. Sie sagte kalt: »Vielen Dank, Milano.«

Ich brauchte die Frage nicht zu stellen. Ich stellte sie trotzdem. »Was soll das heißen?«

»Es heißt, daß ich gerade von jemandem zurechtgewiesen worden bin, der auf dem Heimweg von den Detektivwerken war. Von jetzt an, Milano, lassen Sie mir Platz, so viel Sie können, wenn Sie mich sehen. Sie können sich darauf verlassen, daß ich die Gefälligkeit erwidere.«

»Na, kommen Sie«, schmeichelte ich, aber ich beschwatzte eine tote Leitung.

* * *

Es war ein kaum sichtbarer Mond herausgekommen, als ich zum Meeresufer hinunterging, um Daskalos' Abendvorführung mitzuerleben. Ein karges Publikum diesmal: Holly Lee, Lou Hoffman, Scott Rountree. Sie gesellten sich auch nicht zum Messias am Strand, sondern drängten sich oben an der Treppe zusammen und sahen von dort aus zu.

Trotz seines Abstinkens legte Daskalos, der alte Profi, seine ganze Kraft hinein. Bekleidet mit demselben Minimalkostüm, wandte er sich uns – und dem flammenden Horizont im Westen – zu und verfiel in die knochenbrechende, nachgemachte und vorgespiegelte Kreuzigung, mit einem Dank an die Sonne dafür schließend, daß sie an diesem Tag gute Arbeit geleistet hätte. Der Mond war klar, die Sterne brannten hell, bis er mit dem Schauspiel fertig war.

Das Publikum verlief sich jedoch nicht. Es drängte sich noch enger zusammen und verfiel in Gemurmel, während Daskalos von der Wattgrenze aus zusah. Plötzlich stieg Holly Lee die Treppe hinunter. Hoffman war sofort hinter ihr her, packte sie am Arm und hielt sie an. Rountree folgte ihnen prompt, und es gab erneut eine leise Konferenz. Währenddessen wechselten die beiden Männer sich darin ab, zu mir heraufzublicken. Entweder störte sie meine Anwesenheit, selbst auf diese Entfernung, oder ich war ein Punkt auf ihrer Tagesordnung. Daskalos wartete inzwischen.

Er hätte sich das Warten sparen können. Die Konferenzteilnehmer – Hoffman umklammerte noch immer Holly Lees Arm – stiegen schließlich die Treppe hinauf und strebten zu ihren Bungalows zurück.

Daskalos ging auch seines Weges.

Ich ging den meinen, zurück zu Wohnung 28, um vor dem Abendessen selbst ein wenig zu meditieren.

* * *

Meditation, wie fruchtlos auch immer, läßt die Zeit verfliegen. Der fruchtbare Teil kam, als ich mich einige Minuten verspätet der Tischrunde anschloß, um festzustellen, daß Maggie bei der Umstellung des Sitzplanes Holly Lee direkt in meine Klauen geliefert hatte. Vielleicht ASW? Ich hatte das nicht verlangt, aber da war es. Belle Rountree war nun Quists Partnerin linkerhand am Kopfende des Tisches; Holly Lee, auf Belles ehemaligem Platz, saß nun zwischen Lou Hoffman und mir.

Zu Anfang mir gegenüber kühl, ihre angeregte Seite Hoffman darbietend, erwärmte sie sich ein wenig, als ich mich zu der Nahrung äußerte, die wir bekamen. Diesmal war es keine cubanische Spezialität, sondern französische Küche von ordentlicher Qualität. Holly Lee nickte weise und beugte sich zu mir herüber.

»Bestellung außer Haus«, sagte sie leise.

»Deshalb.«

»Sie können sich bei Mike bedanken. Er hat sich über die Mahlzeiten des neuen Personals so geärgert, daß er direkt an Andrew herantrat. Sie haben dann alles von einem Restaurant in der Stadt herschaffen lassen.«

»Mike hält mit seiner Meinung nicht hinter dem Berg«, bemerkte ich, und Holly Lee sagte mit der ganzen süßen Ernsthaftigkeit von Alice im Wunderland: »Warum die Scheiße auch nicht?«

Mike äußerte seine Meinung bereits wieder laut genug, um am ganzen Tisch gehört zu werden. Jetzt ging es um die vergleichsweisen Meriten von Kalifornien und Florida, wobei ein scharfzüngiger Quist eine Art Duell Morgenstern gegen Florett daraus machte. Sid Kightlinger, der nervös beobachtete, wie sein Superstar und sein Geldgeber aufeinander losfuhren, versuchte mehrmals darauf hinzuweisen, daß beide etwas für sich hätten, und wurde jedesmal von beiden niedergemacht. Lou Hoffman, geistesabwesend, außer wenn Holly Lee ihn ansprach, wirkte zerfahren. Scott Rountree steckte unbeirrt alles weg, was man ihm hinstellte. Belle, die kein Wort sagte, beschäftigte sich mit der vertrauten Aufgabe, Nicht-Kohlehydrate auf ihrem Teller herauszufischen und sie dann mit Abscheu zu kauen. Sharon, unmittelbar in der Kampfzone zwischen ihrem Mann und Calderon, schien auf selige Weise beide nicht wahrzunehmen. Maggie wirkte ebenso ahnungslos, aber nicht selig. Den Kopf gesenkt, die Schultern hochgezogen, saß sie da, als säße sie für eine Statue der Bedrückung Modell. Araujo, der mächtig aß und lustvoll trank, wurde langsamer, als er das Häufchen Unglück neben sich wahrnahm. Er tätschelte väterlich ihre Schulter, um sie zu Interesse an den guten Sachen vor ihr zu bewegen. Sie dankte ihm, indem sie ihre Schulter wegriß.

Holly Lee mußte den Abschluß unseres Gespräches zusammen mit ihren Vorspeisen verdaut haben. Sie beugte sich wieder zu mir herüber.

»Sie verfolgen doch nichts Besonderes bei Mike, oder? Daß Sie etwa glauben, er sei derjenige, welcher diese Briefe geschrieben hat, und so weiter?«

»Nein. Nichts Besonderes.«

Holly Lee nickte.

»So heißt es. Ich meine, daß Sie der Ansicht sind, es wäre Kalos. Richtig?«

»Bis auf einen Haken: Weshalb sollte er das alles durchmachen, um am Ende tot zu sein?«

»Ach das. Aber er stirbt ja nicht wirklich. Er kommt wieder.«

»In anderer Gestalt?«

»Nun, in einem anderen Körper, wenn Sie das meinen. Aber Gläubige werden ihn erkennen.«

»Stört es Sie nicht trotzdem, sich vorzustellen, daß er getötet wird?« fragte ich. »Die Gewalt, der Schmerz, all das, was dazugehört?«

Hollys Gesicht umwölkte sich.

»Nun ja, sozusagen.«

»War es das, was Sie mit Lou und Scottie gleich nach der Andacht besprochen haben?«

»Nicht direkt.« Sie zögerte, dann kam sie damit heraus. »Hören Sie, wenn Kalos derjenige ist, welcher das alles hier macht, dann ist ja in Wirklichkeit gar niemand darauf aus, ihn zu töten, oder?«

»Nein?«

Holly Lee sagte hitzig: »Was ist die große Frage? Niemand sonst wäre darauf aus, ihn zu töten. Aber dann – nun, dann müßte er sich selbst umbringen, nicht wahr? Und angeblich ist er doch gegen solche Dinge. Und das ist es eigentlich, was ich ihn fragen wollte. Und was Lou und Scott nicht erlauben wollen.«

»Warum nicht?«

»Sie sagten, ich solle mich nicht einmischen. Wenn Kalos wirklich, Sie wissen schon, Gott auf Erden sei, dann gehöre alles, was geschieht, zu seinem Plan. Und eine gläubige Person sollte doch nicht herumlaufen und Fragen danach stellen.«

»Aber Scott und Lou sind keine gläubigen Personen«, wandte ich ein. »Wieso verfügen sie dann über Ihr Mandat?«

»Was?«

»Warum nehmen Sie ihre Ratschläge an? Glauben Sie, daß sie ehrliche Sorge um Daskalos treibt?«

Holly Lee schüttelte langsam den Kopf.

»Ich glaube, sie wollen einfach sehen, was passiert, das ist alles. Vor allem Scottie. Alle Schriftsteller sind in dieser Beziehung hirnrissig. Er und Lou haben schon darüber gesprochen, daß darin vielleicht eine Geschichte steckt. So daß –«

»Abgesehen von diesem Aspekt, warum ihre Ratschläge annehmen?« unterbrach ich sie.

»Mister, in diesem Film bekomme ich eine Rolle. Eine große. So groß, daß ein Oscar für eine Nebenrolle zur Debatte steht. Aber bisher hat mir noch keiner einen Vertrag zur Unterschrift vorgelegt.«

»Verstehe.«

»Dann sind Sie ein sehr schlauer Detektiv. Außerdem werden Sie heute abend mit Kalos zusammensein, nicht? Was also auch immer geschehen mag, Sie werden das Geschehen unter Kontrolle haben.«

»Genau unter Kontrolle«, sagte ich und wollte die Versicherung hinzufügen, es werde nichts geschehen, als Hoffman, von diesem Dialog außerhalb seiner Hörweite offenbar beunruhigt, sein Filmsternchen wieder mit Beschlag belegte. Und dafür sorgte, daß sie mit Beschlag belegt blieb. Das ermöglichte mir, aus dem Tischgespräch an Unterhaltung zu ziehen, was ich konnte.

Bei meiner Seezunge sah ich Araujo plötzlich den Kopf zum Eingang drehen. Als ich auch hinüberschaute, ging die Tür hinter der Person, die sich dort gezeigt hatte, bereits zu. Araujo stand auf und winkte mir, ihm zu folgen. Draußen in der Halle stand Pablo.

»Glück gehabt?« fragte Araujo, und als Pablo den Kopf schüttelte, sagte er giftig: »Scheißwaffe.« Er wandte sich mir zu. »Das war eine gute Gelegenheit dafür, also habe ich ihn gerade die Bungalows nach der lausigen Waffe durchsuchen lassen. Bei Mr. Rountree und Mr. Hoffman.« Er sah Pablo hart an. »Du hast dort nichts durcheinandergebracht, oder?«

»Ausgeschlossen.«

»Hoffentlich«, knurrte Araujo. »Also gut, wieder an die Arbeit«, und Pablo, der die Stimmung seines Onkels richtig einschätzte, entfernte sich behenden Fußes.

»Zwei Bungalows von dreien«, sagte ich. »Nicht schlecht. Aber nicht perfekt.«

»Das ist mir klar. Aber wenn Sie bei Daskalos sind, können Sie da vielleicht etwas unternehmen. Vorsicht ist am Platze, aber –« er machte eine kreisende Handbewegung – »sehen Sie sich um, ja? Es gibt nicht viele Stellen, wo man eine Schußwaffe verstecken kann.«

»Er und ich werden schnell zu einem Einverständnis kommen«, sagte ich. »Das gehört dazu.«

»Es wäre hilfreich. Noch etwas: Ich möchte die beiden Wohnungen oben durchsuchen. Fünfzehn Minuten sollten genügen. Sie müssen inzwischen Mr. Calderon und Mr. Kightlinger beobachten. Wenn einer von beiden erkennen läßt, daß er aufstehen will, um nach oben zu gehen, halten Sie ihn auf. Es wäre äußerst peinlich, wenn man mich dabei ertappen würde, wie ich die Schubladen durchgehe.«

»Ich werde tun, was ich kann. Weiß Quist von dieser Durchsuchung ohne richterlichen Befehl?«

Araujo zwinkerte mir betont zu.

»Er wäre von dem Gedanken entsetzt. Aber was war das mit Miss Maus am Tisch? Haben Sie über gestern abend etwas Neues aus ihr herausgequetscht?«

»Nicht in so vielen Worten«, sagte ich. »Aber nach allem, was ich mir zusammenreime, könnte sie beim Stromausfall zum Strand hinausgegangen sein und sich auf den Weg zu Daskalos' Haus gemacht haben, um es sich dann wieder anders zu überlegen.«

»Sie hat also gelogen, als ich sie danach fragte? Warum?«

»Weil sie ihren Filmvertrag immer noch nicht in der Tasche hat«, sagte ich, und als Araujo mich verwirrt ansah, fuhr ich fort: »Das erkläre ich Ihnen später. Im Augenblick haben Sie fünfzehn Minuten Schnellarbeit vor sich.«

Er schaffte es in knapp zwanzig Minuten, und seine düstere Miene verriet alles, bevor er sich noch in seinen Sessel fallen ließ und mir ein fast unmerkliches Kopfschütteln zeigte.

Eine geladene Schußwaffe, nach wie vor vermißt.

* * *

Kaffee. Gebäck. Frisches Obst und Käse. Liköre und Kognak. Ein Feuchtigkeitsbehälter mit Zigarren wurde herumgereicht. Unser Gastgeber bot, wie Araujo es ausgedrückt hatte, die Benutzung von Toiletten an. Die meisten, ich eingeschlossen, nahmen das Angebot wahr.

Quist und Araujo leisteten mir in der Halle Gesellschaft, als die Gäste, angeführt von Calderon, den Vorführraum betraten. Nachdem der Korridor geräumt war, sagte Quist zu mir: »Für Sie wird es vermutlich langweilig sein, aber lassen Sie sich dadurch nicht ablenken. Vor allem in einem nicht: Wenn es auf zwölf Uhr zugeht, achten Sie auf alles, was Daskalos trinkt. Auf alles, was durch seine Kehle geht, um genau zu sein.«

»Gift?« sagte ich. »Wie kommen Sie darauf?«

»Sie nehmen ihn vielleicht nicht ernst, aber ich tue es. Und obwohl ich zwar immer noch nicht ahnen kann, was, zum Teufel, er vorhat, glaube ich, daß er alles tun wird, um es zu erreichen.«

»Gut, das werde ich berücksichtigen.«

»Aber mit Zurückhaltung«, sagte Quist warnend. »Keine Gewalt.« Er zielte mit einem knochigen Zeigefinger auf mich. »Sie kennen die Wertschätzung meiner Frau für ihn. Mehr als Wertschätzung. Ich will nichts getan haben, wofür ich mich nachher bei ihr entschuldigen müßte.«

»Das werde ich mir auch merken.«

»Es wäre klug. Also dann, bleiben Sie in seiner nächsten Nähe, solange Sie das für notwendig halten, und damit hat es sich. Das Flugzeug wird morgen um zehn Uhr früh für Sie bereitstehen. Und Sie kennen Ihre Verpflichtung, die Ereignisse hier diskret zu behandeln. Ein Scherz, den Sie mühelos aufklären konnten. Das ist es, worauf wir uns alle geeinigt haben.«

»Ich habe schon Seltsameres gehört.«

»Davon bin ich überzeugt.« Quist richtete seine Aufmerksamkeit plötzlich auf Araujo. »Irgendeine Gefahr, daß es heute abend zu einem Ihrer Stromausfälle kommt?« fragte er, was nicht die freundlichste Art war, es auszudrücken.

»Nein«, erwiderte Araujo steif. »Heute abend nicht. Ganz bestimmt nicht.«

»Hoffentlich.« Quist setzte seinen Rollstuhl in Bewegung. »Gut, kommen Sie mit.«

Araujo sagte: »Gleich, bitte.« Mit einem Gesicht, als wolle er speien, sah er den Rollstuhl krachend durch die Tür zum Vorführraum poltern. Dann sagte er zu mir: »Draußen steht ein Golfwagen für Sie. Der Mann, der ihn hergebracht hat, wird während der Filmvorführung hier Dienst tun. Geben Sie ihm nur Bescheid, daß er sich sofort auf seinen Posten begeben soll und ihn nicht verlassen darf.«

»Gern. Gibt es übrigens in dem Filmtheater noch andere Türen?«

»Eine. Hinter der Leinwand. Von außen abgesperrt. Nagelneues Schloß. Und ich bin der einzige, der die Schlüssel dazu hat.«

»Halten Sie sie fest«, sagte ich. »Und zählen Sie immer wieder die Köpfe.«

Ich übermittelte dem Mann draußen die Botschaft, dann fuhr ich unter den Gaslampen gemächlich zum Meer. Der Wind war nicht, was er gewesen – weniger böig, viel wärmer und feuchter, und ab und zu Blumenduft mit sich tragend, um mitzuteilen, daß die Kältewelle im Begriff stand, zu schwinden.

Ich klopfte an Daskalos' Tür, erwartete keine Antwort und erhielt keine. Ich öffnete und trat ein.

Im Wohnzimmer brannte kein Licht, aber ausreichende Beleuchtung kam von einer anderen Quelle. Der Kamin war groß. Der Holzstapel darin war so hoch aufgeschichtet worden wie möglich. Ich konnte die Hitze durch den ganzen Raum spüren. Und von meinem Platz aus konnte ich den am Boden vor dem Feuerschirm ausgestreckten Mann sehen.

Ich ging auf ihn zu und knipste eine Stehlampe an.
Daskalos.
Der gewesene Daskalos.

* * *

Er lag auf dem Rücken und starrte mit einem Auge an die Decke. Das andere Auge, durch welches das Geschoß ihn getroffen hatte, war ein blutiges, geschwärztes Nicht-Auge. Das Gesicht war zusätzlich verstümmelt: Eine Seite vermittelte den Eindruck, daß er, völlig tot, seiner Wut gegen das Geschehene freien Lauf ließ. Ich schaute genauer hin. Eine Gebißhälfte mit schimmernden Zähnen war verschoben und ragte schief halb aus seinem Mund.

Ich handelte schnell – zu schnell – und überschlug mich beinahe auf dem gewachsten Boden, als ich zum Küchentelefon lief. Vergeudete Energie. Das Kabel war aus dem Apparat gerissen. Die Schnur des Telefons im Schlafzimmer war aus der Anschlußdose gefetzt worden.

Ich kehrte in den Wohnraum zurück und sah auf Daskalos hinunter, während mein Verstand mit der aufreizenden Nutzlosigkeit abgewetzter Autoreifen in tiefem Schlick rotierte. Es war ein zu weit oben aufgelegtes Scheit am Feuer, das mein Denken aus dem Gleis brachte. Das Scheit wankte, kippte und rollte den übergroßen Scheiterhaufen hinunter, um fast am Ofenschirm zu landen. Noch zwei Zentimeter, und es hätte den Schirm auf die Leiche gekippt. Ich gebrauchte den Schürhaken, wobei ich mir die Hand versengte – so heiß war der Eisenstab –, um das glimmende Scheit wegzuschieben.

Das Scheit, meine versengte Hand, das augenlose Auge, alles fügte sich plötzlich zusammen. Und damit paßte auch alles andere – alle Stücke des Puzzlespiels – zusammen. Zurückweisen, was nicht sein konnte; hinnehmen, was sein mußte. Und als ich das tat, wußte ich, daß ich in der Klemme steckte.

Ich hörte das Geräusch an der Eingangstür und wußte, daß das Problem auf den Plan getreten war, bewaffnet und auf alles vorbereitet.

Im Laufen, tief geduckt, stieß ich die Stehlampe mit dem Schürhaken um, und die Birne zerplatzte, so daß mich nur noch der Feuerschein beleuchtete. Auf die Frage, was an der Tür vorgegangen sein mochte, gab es zwei mögliche Antworten. Ich versuchte es mit dem Türknopf und erhielt jene, die jeden Argwohn bestätigte. Die Tür war jetzt verschlossen. Und eine feste, handwerklich ausgereifte Tür dazu.

Die Fenster? Ich duckte mich unter die Fensterbrett-Ebene und sah mir zuerst das eine, dann das andere an. Das lackierte Aussehen. Eine Jalousie, diese Glasrippen, Moskitogitter, und schließlich, aber durchaus nicht zuletzt, ein schmiedeeisernes Ziergitter. Geeignet dazu, Leute fernzuhalten. Leider ebenso geeignet dazu, Leute hier festzuhalten.

Unter Druck kommen einem sonderbare Gedanken. Zusammengekauert, den Schürhaken in der Hand, ertappte ich mich dabei, daß ich an den Tag dachte, als ich, kein Hundefreund, Sharon über die Grenze der Grafschaft Devon nach Somerset gelockt hatte, damit wir uns Schäferhund-Prüfungen ansahen. Äußerlich unauffällige Tiere, die auf wenige Handzeichen reagierten, bewiesen sie eine unheimliche Fähigkeit, verstreute und in Panik geratene Schafe zusammen- und in die vorgesehene Koppel zu treiben. Zum erstenmal begriff ich jetzt, daß das Spiel zwar den Hunden Spaß gemacht haben mochte, gewiß aber nicht den Schafen.

Ein Knirschen im Kies an der Seite des Hauses kündigte den nächsten Zug im Spiel an. Ich antwortete sofort darauf und erreichte die Küchentür vor dem grimmigen Schicksal, das nun an der Rückwand des Hauses entlangknirschte. Die Küchentür war nicht gesperrt. An alles war gedacht. J. Milano, dieser mitgenommene, wirre Schafbock, wurde eingeladen, aus seinem Pferch zu entfliehen, während direkt vor dem Gatter das Hakkebeil wartete.

Wunderschöne Strategie, Taktik und Exekution. Buchstäblich

Exekution. Ganz wunderschön.

Ich schaute mich um. Durch die Jalousien drang genug Mondlicht herein, um die beiden Flaschen in Umrissen erkennbar werden zu lassen, die Daskalos für eine Salatzubereitung aufgestellt hatte. Das Licht reichte aber nicht aus, mir zu verraten, welche welche war. Die erste, die ich aufschraubte, stank nach Essig. Ich öffnete die andere und wich, von der Innenseite der Tür aus, zurück, die Flasche auf Armlänge umgekehrt vor mir haltend, damit das Öl auf den Boden rann. Es war nicht sehr viel. Es hätte auch nichts genützt, wenn es viel gewesen wäre. Meine Gesellschaft war schon an der Tür.

Ich glitt um die andere Seite der Trennwand zwischen Küche und Wohnraum. Ich preßte mich mit dem Rücken an die Trennwand, packte den Schürhaken fester, und versuchte so wenig Profil wie möglich zu zeigen, während ich zusah, wie die Tür aufging.

»Machen Sie keine Dummheiten, Araujo!« rief ich. »Ich habe auch eine Kanone!«

* * *

»Nein, die haben Sie nicht, Mr. Milano.« Er war ganz Zuversicht. Die Tür ging sehr langsam ganz weit auf. »In Ihrer Wohnung ist nie eine gewesen; Sie tragen keine.« Zuversichtlich, aber nicht sorglos. Er schlenderte nicht durch diese Tür, bis er mich wahrnehmen konnte. »Mr. Milano?«

Um keinen Preis durfte er hereinschlendern. Er mußte hereinstürmen.

»Meine Wohnung?« sagte ich. »Wäre das zufällig Pablos Meldung?«

»Natürlich. Ein guter Junge. Sehr zuverlässig.« Eine schattenhafte Hand erschien innerhalb der Tür, und die Deckenlampe wurde angeknipst. Sie lieferte mir einen klaren und erschreckenden Blick auf die Waffe in der anderen Hand.

Keine Zeit mehr. Alles, worauf ich mich jetzt noch verlassen konnte, war der natürliche Antrieb des Verfolgers, sich der vom Verfolgten eingeschlagenen Gangart anzupassen. Ich atmete tief ein, hieb mit dem Schürhaken an die Trennwand, um Aufmerksamkeit zu erregen, dann raste ich in dem Gefühl zum Wohnraum, eine Schießscheibe auf den Rücken gemalt bekommen zu haben. Ich blieb stehen und wirbelte herum, gerade rechtzeitig, um zu sehen, wie Araujo auf dem Ölfleck wild das Gleichgewicht verlor. Die Beine auseinanderscherend, die Waffe schwenkend, hätte er der Clown bei einer Eislaufshow sein können. Aber er ging nicht zu Boden. Ich griff an, legte alles, was ich hatte, in den niedrigen Halbvolley-Hieb des Schürhakens gegen sein Bein, und er stürzte mit einem gellenden Aufschrei hin. Die Pistole rutschte wie ein Puck über den Boden, und er lag ausgestreckt auf dem Rücken, die Wirbelsäule hochgewölbt. Sein Gesicht war qualvoll verzerrt, seine Zähne gruben sich so tief in die Unterlippe, daß Blut hervortrat.

Aber es gab noch eine zweite Waffe – es mußte sie geben – neben der, die sich in dem jetzt leeren Schulterhalfter befunden hatte. Ich ging in die Hocke und öffnete sein Jackett, und da war sie, in seinen Gürtel gesteckt. Ich griff danach und bekam sie nicht zu fassen. Sein Arm schloß sich plötzlich wie ein Schraubstock um meinen Hals, mein Kopf wurde an seine Brust gequetscht, mein Ohr verletzte sich schmerzhaft an einem Knopf dort. Ich roch nicht nur Schweiß, sondern Friedhoferde, die für meinen Sarg bereitgestellt wurde.

Gefangen in meiner eigenen Falle, konnte ich auf dem schmierigen Boden keinen Halt für meine Schuhe finden. Und mit meinen Händen konnte ich nicht mehr tun, als sein Handgelenk festzuhalten, als er mit seinem freien Arm die Waffe in seinem Gürtel zu erreichen versuchte. Ich tat also das einzige, was mir noch übrigblieb. Es gelang mir, meinen berstenden Kopf zu drehen und mein Gebiß in seinen Kehllappen zu graben. Ich bekam eine gehörige Portion Speck zwischen meine Kiefer und schnappte zu wie eine tollwütige Bulldogge.

Er stieß mich weg, und unterwegs packte ich die Waffe. Ich

raffte mich auf und richtete sie auf ihn. Nicht notwendig. Er bewegte schwach ein Bein; das andere war kaputt. Und tat weh. Das dunkelhäutige Gesicht war schieferfarben, die Augen wirkten trüb vor Qual.

Ich gebrauchte Schnur von der Jalousie, um seine Handgelenke zu fesseln, die Hände über dem Kopf, und sie am Sockel des Herdes zu verankern. Die kleine Mühe, die das kostete, raubte mir den Rest meiner Kraft. Ich erreichte einen Stuhl und setzte mich. Als ich eine Zigarette anzuzünden versuchte, bemerkte ich, daß meine Hände so stark zitterten, daß ich wie ein Betrunkener der Flamme mit der Zigarette hin und her nachjagen mußte, bevor ich zum Ziel kam.

Araujo sagte gepreßt: »Mein Bein.«

»Tut es sehr weh?« fragte ich, ganz Mitgefühl.

»Ja.«

»Nun, wenn ich etwas von dem Schmerzmittel hätte, das Sie bei Quists Hund verwendet haben, bevor Sie ihm die Kehle aufschlitzten, würde ich Ihnen gern davon was abgeben. Aber ich habe nichts. Pech.«

Ich ließ mir Zeit, meine Zigarette zu Ende zu rauchen, bevor ich mir das Bein ansah. Ein glatter Bruch unterhalb des Kniegelenks.

»Sie überleben es«, sagte ich, »falls Sie nicht etwas probieren sollten, das dazu führt, daß der Knochen da durch das Fleisch geht und eine Blutung auslöst.«

Die trüben Augen hellten sich ein wenig auf. Geist gegen Materie.

»Warum sollte ich etwas probieren?« Er fuhr mit der Zunge über die blutende Unterlippe. »Es steht Aussage gegen Aussage. Das Beste, was Sie tun können, ist, von hier abzuhauen. Ich kann Ihnen helfen. Geld – was Sie auch brauchen.«

»Damit Sie die ganze traurige Geschichte der Polizei erzählen können, wie? Ich habe Ihrem Mann beim Stromausfall die Waffe abgenommen –«

»Und den Stromausfall verursacht.«

»Versteht sich. Und ich haßte Daskalos so, daß ich ihn umbrachte. Den Gedanken haben Sie bei Ihren Freunden schon in Umlauf gebracht. Ich habe Daskalos also mit der geraubten Waffe erledigt. Und Sie tauchten gerade rechtzeitig auf, um Zeuge des Mordes zu werden und mich zu töten, als ich auf der Flucht versuchte, Sie zu erschießen. Tapferer Sicherheitschef tat seine Pflicht, als Privatschnüffler zum Berserker wurde. Vielleicht sogar ein Orden vom Bürgermeister, wie?«

»Ich habe nebenan einen Mann, der beschwört –«

»Sie haben niemanden nebenan«, unterbrach ich ihn. »Nicht heute abend. Weshalb sollten Sie jemanden in der Nähe haben wollen, der bezeugen kann, daß Sie beim Abendessen zwanzig Minuten lang, als Sie angeblich zwei Wohnungen im Haupthaus durchsuchten, hier in Daskalos' Bungalow gewesen sind? Dieses Zeitelement hat Sie beschäftigt, und Sie haben es in jeder nur vorstellbaren Weise abgedeckt. Sogar zu gut.«

»Zu gut?«

»Das Freudenfeuer dort. Ich soll Daskalos angeblich vor zehn Minuten erschossen haben. Aber da war er schon zwei Stunden lang tot – und was ist, wenn irgendein schlauer Leichenbeschauer anfängt, sich über diese Diskrepanz Gedanken zu machen? Da liegt er, kalt und tot, und ich liege dort warm und tot. Was tun? Sie überheizen den Raum, um dafür zu sorgen, daß seine Leiche hübsch warm bleibt, bis die Polizei das Kommando übernimmt. Und das hat alles verraten. Dieses Freudenfeuer.«

Araujo bewegte den Kopf langsam hin und her.

»Das hat alles nichts zu besagen. Sie stecken immer noch in der Klemme.«

»Die Geschichte meines Lebens.«

»Es wird ein Leben im Gefängnis sein. Verschwinden Sie, solange Sie noch können. Ich helfe Ihnen.«

»Ich werde darüber nachdenken«, sagte ich. »Inzwischen –«

Er leistete keinen Widerstand, als ich ihn knebelte. Dann zog ich eine Schnur durch die Abzugsbügel beider Waffen, hängte sie an einen Haken im Schlafzimmerschrank, sperrte die Tür ab und steckte den Schlüssel ein. Dabei wurde mir klar, daß meine Jacke und die Hose mit Salatöl beschmiert waren, mein bestes Jackett noch dazu. Aber einen Silberstreifen gibt es immer. Es hätte ja auch Blut sein können.

Und nur das meine.

* * *

In der Halle saß der Sicherheitsmann – dem Alter nach Sicherheitsjüngling – am Tisch, stand hastig auf und warf mir einen strengen, hellwachen Blick zu.

»Alles ruhig?« sagte ich.

»M-hm.« Er wies mit dem Kinn in Richtung Vorführraum. »Jedenfalls ist bisher niemand herausgekommen. Nicht nach Mr. Araujo.«

»Gut. Sie kennen Miss Riley?«

»O sicher.«

»Dann möchte Mr. Araujo, daß Sie folgendes tun. Sie gehen da jetzt leise hinein und sagen Miss Riley – aber so, daß es sonst keiner hört – er möchte sie sofort in ihrem Büro sprechen. Haben Sie verstanden?«

»M-hm.«

»Sagen Sie es ihr einfach ins Ohr und gehen Sie wieder hinaus. Das ist ein Befehl von Mr. Araujo. Und wenn Sie sich fragen, warum er das so knapp macht, dann deshalb, weil es da drinnen Ärger gibt, wenn Sie irgend etwas anderes sagen oder tun. Hernach wird er Sie fragen, warum es Ärger gegeben hat.«

»Öh, hm. Er weiß, daß er sich auf mich verlassen kann.«

»Sorgen Sie dafür.«

Ich sah ihm zu, als er zum Vorführraum ging. Dann eilte ich durch den Korridor zu ihrem Büro und sperrte die Tür mit meinem Allzweckschlüssel auf. Zwei Minuten später erschien Maggie außer Atem. Sie mußte gelaufen sein. Sie blieb verwirrt unter der Tür stehen.

»Der Mann hat gesagt, es wäre Virgilio.«

»Das habe ich ihm eingepaukt. Ich sagte mir, daß er sich sonst

Gedanken machen würde.«

»Die mache ich mir. Sollten Sie nicht eigentlich noch bei Kalos sein?« Sie sah mich stirnrunzelnd an. »Und was ist mit Ihrer Kleidung passiert?«

»Araujo ist im Bungalow, und um meine Kleidung brauchen Sie sich keine Sorgen zu machen. Hören Sie, kommen Sie einfach herein und machen Sie die Tür zu. Sperren Sie sie ab.«

Ihre Augen wurden ganz groß. Sie sagte mit einer dumpfen Vorahnung: »Es ist etwas schiefgegangen.«

»Ja.« Ich zog sie ins Zimmer und kümmerte mich selbst um die Tür.

»Kalos?«

»Tot. Araujo hat ihn erschossen. Ich habe Araujo dort gefesselt.«

Sie schien einer Ohnmacht nahe zu sein. Ich faßte sie an den Schultern und führte sie zum Stuhl vor dem Schreibtisch. Sie sank darauf nieder und ließ den Kopf fast bis zu den Knien hängen. Als sie ihn wieder hochhob, kehrte die Farbe in ihr Gesicht zurück.

»Milano, was ist geschehen? Wie ist es geschehen?«

»Sie brauchen etwas zu trinken. Ich auch. Wenn Sie mir verraten, wo Quist seine Privatmarke aufbewahrt –«

»Nein. Ich will nur hören, was geschehen ist. Bitte...«

Ich ging um den Schreibtisch herum und setzte mich in ihren Sessel. Ihr Manuskript in der Schachtel lag mitten auf dem Schreibtisch. Ich schob die Schachtel sorgfältig beiseite. Dann beschrieb ich gedämpften Tones in allen Einzelheiten, was geschehen war, nachdem ich den Bungalow von Daskalos betreten hatte.

Sie war, wie sie selbst gesagt hatte, hartgesotten. Maggie Riley, das Mädchen aus den Everglade-Sümpfen. Hart im Geist wie in der Seele. Ihre direkte Reaktion machte das deutlich.

»Aber Sie sind nicht in der Klemme? So, wie Virgilio behauptet hat?«

»Wie?«

»Seine Aussage gegen die Ihre. Und Sie hatten wirklich Grund,

Kalos zu hassen. Er nicht.«

»Das wohl nicht.«

»Milano, begreifen Sie denn nicht, worauf ich hinauswill? Sie reden immer vom Motiv. Virgilio hatte für die Tat kein Motiv. Es ergibt keinen Sinn, daß er sie begangen hat.«

»Falsch. Er hatte ein Motiv im Wert von einer halben Million Dollar. Die sollte Quist in seine Bewegung ›Befreit Cuba‹ stekken. Ich vermute, daß Quist sich dazu bereit erklärt hat, das Geld im Austausch für einen Mord zu bezahlen.«

»Andrew? Wollen Sie behaupten, daß *er* etwas damit zu tun hatte?«

»Alles. Es ist vom Anfang bis zum Ende sein Spiel gewesen. Und Daskalos war dabei nur ein Bauernopfer. Genau wie der Lieblingshund, der abgeschlachtet wurde. Und der Sicherheitsmann, dem man den Schädel poliert hat. Weil ich derjenige bin, auf den Quist es von Anfang an abgesehen hatte. John Milano und kein anderer.«

»Das ist doch Wahnsinn!«

»Baby, wenn ich an Wahnvorstellungen leide, dann habe ich verdammt gute Gründe dafür«, sagte ich. »Wie steht es jetzt mit einem Glas?«

Maggie erhob sich.

»Lassen Sie das. Ich möchte, daß Andrew das alles hört.«

»Noch nicht gleich.«

»Wenn Sie ihn beschuldigen –«

»Das tue ich. Setzen Sie sich hin, und ich sage Ihnen, warum.«

Unwillig ließ sie sich auf die Sitzkante nieder.

»Nun?«

»Was Quist betrifft, ist Sharon die höchste aller Trophäen«, sagte ich. »Er ist hirnrissig, sabbernd entschlossen, sie für sich zu behalten. Wollen Sie mir da widersprechen?«

»Den Ausdrücken vielleicht. Die Tatsache räume ich ein.«

»Nun gut. Vorigen Juli erfuhr er vom Inhalt des Briefes, den ich ihr zurückgeschickt hatte. Später von ihrem Weihnachtsbrief. Da war er, der klare Beweis dafür, daß sie entschlossen schien, früher oder später mich gegen ihn einzutauschen. Für ihn eine machtvolle Anregung zu dem Entschluß, eine dauerhafte Lösung des Problems zu suchen. Als diese Filmleute auftauchten – denen Daskalos sich anschloß –, entwickelte er einen Plan.«

»Und Kalos ermorden zu lassen, gehörte wohl dazu?« sagte Maggie. »Ausgerechnet Kalos? Sie haben den Verstand verloren. Andrew gefiel es, wie Kalos Sharon im Zaum hielt. Das hat er mir selbst gesagt.«

»Mir auch, und einer meiner Fehler bestand darin, ihm zu glauben. Sharon stand nämlich bereits im Begriff, sich von Daskalos zu lösen, und das wußte Quist. Er hatte deshalb keinerlei Verwendung mehr für Daskalos.

Aber das war nur einer meiner Fehler. Ein zweiter lag darin, nicht erkannt zu haben, daß Kalos, der arme Kerl, so weit gekommen war, an sein eigenes Wort zu glauben. Die Bekehrung wirklich zu vollziehen. Und ehrlich versuchte, Sharon zu beschützen. Ich glaube, Quist war raffiniert genug, sich darauf zu verlassen, daß ich das nicht schlucken würde. Eines steht fest: Er hat weder mich noch irgend jemanden hier jemals vergessen lassen, daß ich Daskalos völlig feindselig gegenüberstand. Ein sehr wichtiger Punkt als Nachweis, wenn die Leichen abtransportiert worden wären.«

»Gewiß«, sagte Maggie tonlos. »Alles Bestandteil von Andrews satanischem Plan, Sie aus dem Weg räumen zu lassen.«

»Wie immer Sie es nennen wollen, Baby, es war von Anfang bis Schluß ein wunderbarer Plan. Er brauchte irgendeinen Fall als Lockspeise für mich, deshalb gab es die Drohbriefe. Um die Drohungen zu untermauern, ließ er seinen Hund umbringen. Das sollte mich auch davon abhalten, ihn der Beteiligung zu verdächtigen, denn welcher Hundefreund denkt auch nur im Traum daran, seinem treuen Haustier die Kehle durchschneiden zu lassen? Dann unternahm er einen seiner ausgeklügeltsten Schritte. Er richtete es so ein, daß ich glauben sollte, Sharon lade mich hierher ein. Aber wie ich heute nachmittag von ihr erfahren habe, war sie dazu gebracht worden, meinen Namen zu erwähnen und für meine Einladung zu sorgen. Als ich auf dem Schauplatz erschien, brauchte Quist nur noch darauf zu achten, daß ich jeden verdächtigte – nur nicht ihn –, bis ich für den Mord aufgebaut war. Der Schweinehund kam auch bis auf dreißig Sekunden heran, es zu schaffen.«

Maggie saß mit offenem Mund da. Schließlich sagte sie: »Das ist es?«

»Das ist es.«

»Milano, ist Ihnen klar, wieviel davon auf Mutmaßungen beruht? Wie viele Löcher das hat?«

»Ja. Wie die Mutmaßung, Quist habe auf irgendeine Weise gewußt, daß ich Daskalos seit langem haßte. Was, wenn der Rauch sich verzieht, bedeuten würde, es sei plausibel, daß ich ihn umgebracht habe. Und da Araujo mich bei meiner versuchten Flucht erschießen sollte, könnte ich das auch nicht widerlegen. Aber wenn ich die Antwort auf eine ganz einfache Frage erhalte, glaube ich, wären alle diese Löcher gestopft. Wollen Sie versuchen, sie zu beantworten?«

»Warum ich? Wie wäre es, wenn Sie Andrew darum bitten würden? Oder haben Sie Angst davor, ihm mit diesem Wahnsinn zu kommen?«

»Es ist wirklich eine ganz einfache Frage: Woher wußte er, was in Sharons Briefen stand?«

»Woher wissen Sie so genau, daß er es wußte?«

Ich sagte liebenswürdig: »Weil Sie ihm die Information geliefert haben. Genauso, wie Sie ihm alles erzählten, was Sharon Ihnen anvertraute. Ihr Andrew mag an gehemmter moralischer Entwicklung leiden, Baby, aber ein Dummkopf ist er nicht. Er wußte genau, was er heiratete. Aber mit Ihnen auf dem Posten brauchte er sich nie den Kopf darüber zu zerbrechen, was sie im Sinn hatte. Er erfuhr davon, sobald sie es Ihnen anvertraut hatte.«

»Mein Gott«, sagte Maggie. Sie sah mich staunend an. »Hören Sie sich eigentlich selber, Milano. Perfekt abgekartet. Erfunden von Andrew Quist, der nicht bloß neurotisch eifersüchtig, sondern mörderisch eifersüchtig ist. Ausgeführt von Virgilio Araujo für – wieviel, sagten Sie, sei es gewesen?«

»Eine halbe Million.«

»Richtig. Eine halbe Million Dollar, die er dazu braucht, um die Invasion Cubas durch seine Privatarmee vorzubereiten.«

»Zuerst stellt man die Armee auf«, sagte ich. »Die Invasion kommt später.«

»Wann auch immer. Beide unterstützt von mir, die notwendige Geheiminformationen beschaffte. Aus welchem Grund ich sie geliefert habe, gibt der Zeuge nicht an. Vermutlich habe ich für den mörderischen Quist eine heftige Loyalität empfunden.«

»Streichen Sie den mörderischen Quist«, sagte ich. »Versuchen Sie es mit Vincent van Gogh.«

»Was?«

»Van Gogh. Sie erinnern sich. Der Künstler, bei dem Sie solch kostspielige Nachforschungen anstellen wollten.«

»Was ist damit?«

»Nun, fünfzigtausend Dollar bringen eine Menge Nachforschungen ein«, sagte ich. Ich hob die Hand. »Nicht, daß Sie Quist bemogeln würden. Ich meine, sehen Sie sich an, wofür Sie bezahlt werden. Sharon im Auge behalten. Sich persönlich um mich kümmern, um dafür zu sorgen, daß Ihr Chef mir immer einen Schritt voraus ist. Die Dramatik, als Kightlinger Ihre Schreibmaschine benutzte. Und dann das ganz Große, das, was Sie bei der gerichtlichen Voruntersuchung bringen sollten. Dem Gericht mit unbewegtem Gesicht erklären, daß Sie keine Ahnung hätten, wohin ich nach der Bridgerunde gestern abend gegangen sei, jedenfalls ganz gewiß nicht zu Ihnen. Wenn das doch der Fall gewesen wäre, wie hätte ich dann den Stromausfall verursachen und die Waffe stehlen können, mit der ich Daskalos erschossen habe? Wissen Sie, diese Lüge allein wäre Quist die ganzen fünfzigtausend wert gewesen.«

»Reden Sie von meinem Stipendium?«

»Gewiß. Welcher Pott ist sonst auf dem Weg zu Ihnen?«

»Dann lassen Sie mich ganz deutlich machen, daß dieser Pott – wenn er denn zu mir kommt – nicht von Andrew stammt. Mr. Quist hat in keiner Form, Gestalt oder Art etwas damit zu tun. Überhaupt nichts!«

»Nicht einmal am Rande?«

»Überhaupt nichts. Das Geld kommt von einer hochgeachteten Stiftung in Boston, die meinen Antrag und eine Zusammenfassung meines Buches in ihren Akten hat. Und deren Antwortbriefe hier in meinem Archiv liegen.«

»Die Lucas-Stiftung«, sagte ich. Als sie blinzelte, fuhr ich fort: »Sharon hat sie erwähnt.«

»Das sollte bis zur endgültigen Entscheidung vertraulich bleiben. Aber das spielt keine Rolle. Was eine Rolle spielt, ist, daß Sie wußten, es handelt sich um ein echtes Stipendium. Alle Ihre wilden Schlußfolgerungen sind damit –«

Ich sagte langsam: »Mary Henrietta Lucas Quist. Das Modell des Bildes von Sargent in Ihrem Museum. Quists Mutter, wie Sie mir sagten. Ich habe das noch nicht nachgeprüft, aber meine wilde Schlußfolgerung ist die, daß die Lucas-Stiftung ganz allein Quist gehört. Und, wie ihm eingefallen sein muß, ein sehr praktisches Vehikel ist, um schmutziges Geld zu waschen. Wie Geld, das er jemandem dafür bezahlen muß, der an seiner Mordverschwörung beteiligt war.«

Maggie starrte mich an. Ihr Gesicht war plötzlich ganz weiß, die Sommersprossen traten fleckenartig hervor. Dann sagte sie erstaunlicherweise: »Haben Sie wirklich auch nur einen Augenblick gedacht, ich würde bestreiten, daß Sie bei mir gewesen sind, als der Stromausfall begann?« Ich nickte traurig.

Sie stand auf, nahm eine Füllfeder aus dem Halter, griff nach einem Blatt ihres Manuskriptpapiers, beugte sich über den Schreibtisch und schrieb eifrig. Ich las die Worte umgekehrt mit.

> *An alle, die es angeht: John Milano war zu dem Zeitpunkt, als auf dem Besitz ›Hesperiden‹ am 23. Januar der Strom ausfiel, in meiner Begleitung.*

Die Unterschrift war in derselben kleinen, schnörkellosen Handschrift ausgeführt: ›Margaret Riley‹.

Sie drehte das Papier auf dem Schreibtisch herum, so daß es von meinem Blickwinkel aus richtig lag, dann setzte sie sich in einer Abwandlung von Sharons Lehrerinnenhaltung hin; ihre Schultern waren gestrafft, die Hände im Schoß gefaltet. Ein Unterschied: Ihre Daumen waren aneinander gepreßt. Das verlieh ihr einen betenden Ausdruck.

Ich ließ meine Hand auf das Blatt sinken.

»Was ist das? Ein kleines Entgelt dafür, daß Sie mich mit als Schießscheibe aufgebaut haben?«

»Damit habe ich gerechnet. Nein, es ist ein Beweis guten Glaubens, Milano. Darüber hinaus ist es die Vorrede zu einem kleinen Geständnis. Ja, ich habe Andrew über Sharon auf dem laufenden gehalten. Ich war von Anfang an nicht glücklich dabei, aber er beharrte darauf, es sei zu ihrem eigenen Besten, und auf irgendeine Weise ergab das Sinn. Aber ich bin nie darüber hinausgegangen. So wahr mir Gott helfe, ich wußte nicht, was er und Virgilio vorhatten. Ich habe Sie nicht für ihn bespitzelt. Ich habe diese Briefe an Kalos nicht geschrieben. Das müssen Sie mir glauben, Milano. Fällt das so schwer?«

»Das neue Buch über Bligh und die ›Bounty‹, das Sie dort im Regal hatten«, sagte ich. »Sind Sie es losgeworden, ja? Nicht, daß es darauf ankäme. Auf dem Preisschild stand der Name des Geschäfts. ›The Nook Nut, Coconut Grove.‹ Klingt sehr gemütlich. Ich bin sicher, man wird sich erinnern, den Band an Sie verkauft zu haben. Vermutlich ist er sogar auf Ihr Konto gesetzt worden.«

»Milano –«

Ich sagte müde: »Ich stand da und blickte auf Daskalos hinunter, als mir einfiel, wo ich die Zeile schon einmal gelesen hatte, die in dem ersten Brief an ihn steht. ›Ich bin in der Hölle.‹ Das hat Fletcher Christian zu Bligh gesagt, als er die Meuterei erklärte. In jedem maßgebenden Werk über die ›Bounty‹ muß das stehen, also auch in dem Buch, das Sie gelesen haben, aus dem Sie es geborgt haben. Was hat es für einen Sinn, zu bestreiten, daß Sie diese Briefe geschrieben haben, wenn wir beide wissen, daß es so war? Und Sie haben Quist über mich Bericht erstattet. Und gehörten zu seiner Verschwörung.«

Sie blieb stumm und unbewegt, die Brauen zusammengezogen, während hinter den gestrafften Lippen die Schneidekanten ihrer Zähne zu sehen waren. Sie legte den Kopf schief.

»Was gedenken Sie gegen das alles zu unternehmen? Sie wissen, welche Beträge Andrew einzusetzen bereit wäre, um –«

»Nein.«

»Völlig aussichtslos? Unbestechlich?«

»Das bezweifle ich. Nur soviel, um mich nicht von jemandem kaufen zu lassen, der versucht hat, mich umzubringen.«

»Verstehe. Nun, dann?«

»Das hängt von Ihnen ab. Wenn Sie vernommen werden, sagen Sie die Wahrheit. Bieten Sie sich als Zeugin der Anklage an. Ein kluger Anwalt kann damit für Strafmilderung viel herausholen.« Ich ging um den Schreibtisch herum und gab ihr den Telefonhörer. »Es fängt an mit einem Anruf bei der Polizei. Sie verdienen sich Pluspunkte, wenn Sie diejenige sind, welche es ihr mitteilt. Wer sich auch melden mag, sagen Sie ihm, Sie möchten einen Mord melden, und sorgen Sie dafür, daß er Ihren Namen richtig verstanden hat. Sagen Sie ihm, der Torwächter hier soll die beauftragten Beamten direkt zum Vorführraum im Haupthaus bringen, wo Sie warten werden. Ach ja, und sagen Sie ihm, es sei auch jemand schwer verletzt und brauche einen Krankenwagen. Das wär's.«

Nicht ganz.

Mit verengten Augen rechnete Maggie scharf nach. Ich ließ mich auf die Schreibtischkante nieder und wartete. Schließlich sagte sie: »Das hätte ich nicht zu schreiben brauchen.« Sie wies mit dem Kinn auf das Blatt Papier. »Wenn ich es nun nicht getan hätte?«

»Es würde nichts ändern.«

»Aber es ist Ihr Alibi, nicht wahr? Was, wenn ich der Polizei erzähle, Sie hätten mich gezwungen, es zu schreiben?«

Ich sagte: »Ich erspare Ihnen die Mühe.« Ich hob das Blatt hoch, hielt mein Feuerzeug daran, und als die Flamme hochgestiegen war, ließ ich das Papier in den Aschenbecher auf dem Schreibtisch sinken. Maggie, den Telefonhörer in der Hand, sah es zu Asche zerfallen. Ihr ganzer Körper schien zu erschlaffen. Sie sah mich verwirrt an.

»Ich dachte –«

»Ich habe die Mordwaffe«, sagte ich, »die gestohlene Waffe, mit Araujos Fingerabdrücken noch daran – weggesperrt. Und Pablo, sein Neffe oder was auch immer, hat Ihren letzten Brief in den Bungalow plaziert, und er wird es nicht lange bestreiten, wenn die Polizei einmal die Daumenschrauben ansetzt. Das ist nur der Anfang.«

Kightlinger hatte gesagt, sie hätte eine Mordskraft in den Fäusten. Sie hatte jetzt mehr als eine Faust, sie hatte das Telefon. Der unerwartete betäubende Schlag hoch oben an meiner Schläfe schickte mich vom Schreibtisch direkt zu Boden. Ich sah keine Sterne. Ich sah massive Himmelskörper, Konstellationen, Galaxien, und hinter ihnen, während es mir gelang, mich auf Hände und Knie zu schieben, sah ich dumpf, wie Maggie den Schlüssel in die Terrassentür steckte. Sie riß die Tür auf, sie war auf dem Weg nach draußen, und plötzlich blieb sie stehen und kehrte um.

Es war ihr Baby, das sie holen wollte, das Manuskript in der Schachtel auf dem Schreibtisch. Sie war dorthin unterwegs, als ich sie mit einem Hechtsprung rammte. Manuskriptseiten flogen in die eine Richtung, sie in die andere, und ich ging mit ihr zu Boden, in dem Sturm von Fäusten und Knien und spitzen, harten Schuhen verzweifelt bemüht, festzuhalten, was ich packen konnte. Als ich sie endlich unter Kontrolle hatte, flach auf dem Bauch, den Arm hinter ihrem Rücken hochdrehend, versuchte sie immer noch, sich zu befreien.

Ich übte Druck auf den Arm aus, und sie stöhnte. Ich konnte den Atem in ihrer Kehle rasseln hören, jedes Ausatmen übergehend in ein kaum hörbares Wimmern.

»Verdammt noch mal«, sagte ich, »begreifen Sie endlich, daß ich versuche, Ihnen einen Gefallen zu tun. Ich weiß nicht einmal, warum. Vielleicht sind es nicht Sie, vielleicht ist es Vincent van Gogh, dem ich einen Gefallen tun möchte. Aber würden Sie versuchen, zu verstehen, worauf ich hinauswill?«

Sie gab einen Kehllaut von sich.

»Na gut«, sagte ich, »das klang nicht nach Nein, also gehe ich davon aus, daß es ein Ja war. Passen Sie gut auf: Wenn es zur Entscheidung kommt, wird Quist sich ein Dutzend Psychiater kaufen, die ihn in ein hübsches, behagliches Sanatorium hineinschwören. Araujo ist erledigt. Er hat den Abzug betätigt, er bekommt lebenslänglich, vielleicht sogar den Stuhl. *Sie* aber können auf keinen Fall mit der Quistschen Behandlung rechnen. Und Ihre Aussicht, nicht die Behandlung von Araujo zu erleiden, besteht darin, sich auf die Seite der Anklage zu stellen.«

Sie brachte es kaum heraus.

»Und wo stehe ich dann?«

»In sehr heißem Wasser«, sagte ich. »Was immer noch viel besser ist als kochendes Öl.«

Ein paar Augenblicke lang dachte ich, sie hätte das Atmen ganz aufgegeben.

»Also gut«, flüsterte sie schließlich, »ich mache es so, wie Sie meinen.«

Ich half ihr auf die Beine, mit dem Gefühl, ich hätte die Hilfe so gut gebrauchen können wie sie. Ich schob sie zum Telefon. Sie stockte angesichts der überall am Boden verstreuten Blätter.

»Mein Buch!«

»Dafür ist später Zeit.«

»Nein. Helfen Sie mir, die Seiten einzusammeln. Dann rufe ich an.«

Ich half ihr, die Seiten einzusammeln. Sie legte sie liebevoll und ordentlich aufeinander. Dann telefonierte sie.

* * *

Der junge Sicherheitsmann in der Halle wirkte verwirrt.

»Mr. Araujo ist nicht gekommen«, sagte er. Eine Frage ohne Fragezeichen.

»Schon gut«, erwiderte ich. »Er hat eben angerufen, daß es nicht ging.«

»Ach so.« Er zeigte mir ein Lächeln, wollte auch der ernsthaften Miss Riley zulächeln, überlegte es sich anders. Ich lächelte ihn für uns beide an.

In der Dunkelheit des Vorführraumes tastete ich uns mehr, als daß ich uns mit den Augen führte, zu denselben Sitzen an der Rückwand, die Sharon und ich am Abend zuvor eingenommen hatten. Ich rutschte in meinem Sitz hinunter, auf meinem schmerzendem Rückgrat, und bot eine Mindestfläche für Blicke, für den Fall, daß jemand neugierig auf das kurze Öffnen der Tür reagiert hätte.

Niemand tat es, soweit ich an den Silhouetten vor mir erkennen konnte. Auf dem Bildschirm ging Sharon Hand in Hand mit Calderon, der irgendwie kleiner aussah als in Natur, auf die Nelson-Säule am Trafalgar Square zu. Das war also ihr letzter Film, den sie in London gedreht hatte. Und Quist, dessen Rollstuhl mitten im Hauptgang stand, sah zu, wie seine Frau stehenblieb und ihr Gesicht zu einem Kuß mit dem offenem Mund ihres Filmliebhabers hob, während er, wie ich vermutete, insgeheim sich am Hinscheiden ihres einstmals wirklichen Liebhabers ergötzte. Eine flotte doppelte Anregung für die Sex-Handbücher.

Die Sichtbarkeit nahm zu, als meine Augen sich an das flakkernde Licht gewöhnten. Sharon saß neben Quist, den Kopf auf dem Sitz so weit zurückgelehnt, daß ihr Profil horizontal verlief. Sie schlief nicht. Sie wies nur die Film-Sharon ab, für die alles sprach, was die echte Sharon nicht hatte, ausgenommen vielleicht diese zwei Wochen in einem Häuschen in Devon, als die beiden eins wurden. Oder fast eins geworden waren.

Calderon saß einen Sitz von Sharon entfernt und sandte mit einer übergroßen Zigarre Rauchsignale aus. Weiter unten konnte ich die anderen erkennen. Belle Rountrees Hand ruhte auf dem Nacken ihres Scottie. Lou Hoffman hatte den Arm um die Schultern seiner Alice im Wunderland gelegt; sie bediente sich aus einer Flasche ›Trink mich‹ mit Kohlensäure. Kightlinger, allein in der ersten Reihe, beugte sich mit hochgezogenen Schultern vor und schien sich über das Gesehene Notizen zu machen. Oder war es eine weitere Bitte an seinen Freund, den Doktor, um Spesengeld? Das blieb sich gleich.

In wenigen Minuten würde hier die Hölle los sein. Zuerst die Polizei, dann, nicht weit dahinter, Presse und Fernsehen. Dieses

Ereignis war von der Art, wie man es sich dort erträumte. Bis aus Rotchina würde man dafür kommen. Sie würden wimmeln wie die Ameisen auf einem alten Knochen.

Auf der Leinwand betrachteten die Menschen auf dem Trafalgar Square das Liebespaar. Calderon sagte mit schwerfälligem Humor zu Sharon: »Hier braucht es nicht viel, daß Massen zusammenkommen, wie?«

Sharon sah ihn ernsthaft an. Die Kamera zeigte das Gesicht in Nahaufnahme. Sie schüttelte langsam den Kopf.

»Ich sehe keine Massen.«

Ich sah mir die echte Sharon an. Horizontal oder nicht – vor allem horizontal – hätte dieses Profil vor langer Zeit mindestens tausend Schiffe in See stechen lassen.

Milano, der Profil-Fanatiker. Schätze das, aber laß dich unter keinen Umständen davon anmachen.

Auf der Leinwand, ganz nah, leuchteten die Saphiraugen, öffneten sich die Lippen.

Ich schloß die Augen. Zwecklos. Ich öffnete sie wieder.

Gleich also würde hier die Hölle los sein. Wenn alles erledigt und vorbei war, Rechnungen beglichen, Zeugen entlassen – mochte Willie Watrous mit einem Herzinfarkt drohen, mochte Shirley Glass verzweifelt den Kopf schütteln –, ich würde zwei Wochen in Devon mit diesem Profil vereinbaren. Und, so wahr mir Gott helfen mochte, mit allem anderen, was dazugehörte.

Das mußte unser glasklares, eisernes Einverständnis sein. Zwei Wochen, und auf keinen Fall mehr.

Höchstenfalls drei.

# Rote Krimi ... mörderisch gut!

**Dick Francis**

**Der Trick, den keiner kannte**

Nur ein Außenseiter kann die üblen Machenschaften aufdecken, die den Pferderennsport bedrohen. Daniel Roke wird beauftragt, den Spion in den eigenen Reihen zu finden. Auf seiner Jagd stellen sich ihm tödliche Hindernisse in den Weg.
(4804)

**Aufs falsche Pferd gesetzt**

Bei einem Hindernisrennen stürzt der Jockey Bill Davidson und erliegt seinen schweren Verletzungen. Sein Freund Alan York weiß, daß der Sturz durch Sabotage verursacht wurde. Aber wie soll er der Polizei beweisen, daß hier Verbrecher am Werk waren?
(4812)

**Die letzte Hürde**

Was ist los auf dem Rennplatz Dunstable bei London? Ein Jockey begeht vor den Augen seiner Kollegen Selbstmord, mehrere andere sind wie vom Unglück verfolgt. Rob Finn, ein junger Rennreiter, glaubt nicht an Zufall. Er geht der Sache nach...
(4780)

**Grand-Prix für Mord**

Ein Zuchthengst im Wert von einer Million Pfund ist verschwunden. – Ein junges Paar verbringt einen gefährlichen Nachmittag auf der Themse.
Der britische Geheimdienstagent Hawkins ahnt von einem Zusammenhang der Ereignisse und folgt der Spur.
(4740)

**Goldmann Verlag**

# Goldmann Krimis ...mörderisch gut!

**Roger L. Simon**
**Die Pekingente**

Privatdetektiv Moses Wine unternimmt mit einer Gruppe eine Studienreise nach China. Als aus einem Museum in Peking eine wertvolle goldene Ente verschwindet, steht die Reisegruppe unter Hausarrest. Moses Wine findet den Dieb und blickt zugleich hinter die Kulissen eines gefährlichen Spiels ...

Bestell-Nr. 5202

**Michael Dibdin**
**Der letzte Sherlock-Holmes-Roman**

Das brisante Dokument des Dr. Watson war 50 Jahre unter Verschluß und wird 1976 freigegeben. Es berichtet von den Untaten eines gewissen 'Jack the Ripper'. Holmes kommt zu dem Schluß, daß Prof. Moriarty der Täter ist. Doch nach dessen Tod ereignen sich weitere Dirnenmorde. Dr. Watson geht ihren Spuren nach.

Bestell-Nr. 5203

LIT. KRIMI

# Rote Krimi
## ... mörderisch gut!

**Joe Gores**
**Unbekannt verzogen**

Dan Kearny, Leiter eines Detektivbüros soll die Lizenz entzogen werden. Man wirft ihm vor, Gelder veruntreut zu haben. Die wichtigste Zeugin ist tot. Kearny sucht verzweifelt Entlastungszeugen. Aber alle, die in Frage kommen, sind unbekannt verzogen.

(4831)

**Der Killer in dir**

Paula Halstead wird durch Zufall Zeuge, wie eine Bande Jugendlicher einen Mann überfiel und schwer verletzte. Nun wird sie selbst Opfer der Verbrecher. Ihr Mann beschließt, den Tod seiner Frau auf eigene Faust zu rächen.
(4838)

**Dashiell Hammetts letzter Fall**

»Das ist ein Krimi, wie man ihn nur alle paar Jahre in die Finger bekommt. Blutig, brutal und wuchtig, lyrisch und traurig wie ein Blues, einsam und mutig wie die Trompete von Bix Beiderbecke auf seiner Platte aus dem Jahr 1928 und mit der gleichen, ein wenig matten, schönen Patina.«
Ulrich Klever

(4801)

**Goldmann Verlag**

# Goldmann Krimis
## ...mörderisch gut!

**Collin Wilcox**
**Der tödliche Biß**

Wie alle wirklich guten Krimi Autoren, so will auch Collin Wilcox nicht allein einen Thriller abliefern, voll von Action und Spannung. Hier entstand die Geschichte einer Vater-Sohn-Beziehung, die vor dem Hintergrund tödlicher Gefahr beide Menschen zur Bewährung heraus fordert.

Bestell-Nr. 5401

**Duncan Kyle**
**Todesfalle Camp 100**

Abgeschnitten von der Umwelt, vergraben im Schnee der grönländischen Arktis, liegt das Camp 100: ein unterirdischer Vorposten der amerikanischen Polarforschung.
Das isolierte Camp wird zur Todesfalle in den Händen eines skrupellosen Mörders...

Bestell-Nr. 5402

ACTION KRIMI

# Rote Krimi
## ... mörderisch gut!

**William Hallahan**
**Ein Fall für Diplomaten**

Ein in New York lebender russischer Dichter und Dissident wird entführt, obwohl er keine Bedrohung für die UDSSR darstellt. Die US-Regierung behandelt den Fall äußerst vorsichtig, bis ein Beamter der Einwanderungsbehörde den Stein ins Rollen bringt. Er allein ahnt, warum der verarmte, politisch unbedeutende Dichter so wichtig ist.
(4823)

**Arthur Maling**
**Eine Aktie auf Mord**

Die Aktien stehen auf Sturm, als ein Teilnehmer der Finanzierungsfirma Price, Potter & Petacque seine Anteile veräußern will und danach spurlos verschwindet—mit einer Pistole im Gepäck. Kurz danach werden der Bruder Petacques und dessen Frau ermordet...
(4807)

Goldmann Verlag